Harlequin
"tout un monde d'évasion"

Il y a des jours où tout va bien...
Il fait beau, vous vous sentez jolie,
pleine d'énergie, de dynamisme.
Alors, vous plongez avec enthousiasme
dans un nouveau roman Harlequin,
dont l'héroïne, comme vous,
rayonne d'audace et de joie de vivre !

Il y a des jours où tout va mal...
Il pleut, et les nuages vous brouillent le teint.
Tout le monde est maussade ; vous aussi.
Alors, ouvrez vite un nouveau roman Harlequin.
Vous y trouverez le soleil, la passion,
l'optimisme dont vous avez besoin.
Vous oublierez tous vos soucis.

Quelle que soit votre humeur,
gaie ou triste, tendre ou folle,
Harlequin vous offre chaque mois
des heures de détente et d'évasion...

Partez avec Harlequin,
le temps d'un roman.

De l'autre côté des récifs

Marjorie Lewty

ÉDITIONS HARLEQUIN

*Cet ouvrage a été publié en langue anglaise
sous le titre :*

BEYOND THE LAGOON

© 1981, Marjorie Lewty
© 1982, Traduction française : Harlequin S.A.
48, avenue Victor-Hugo, 75116 Paris. Tél. 500.65.00
ISBN 2-280-00018-0
ISSN 0182-3531

1

— Non, objecta Suzanne French en secouant la tête d'un mouvement obstiné. Je suis désolée, monsieur Benton, mais je ne peux pas vous obéir.

Son regard franc et direct rencontra celui, brillant de colère, de l'homme assis de l'autre côté du bureau : sourcils froncés, il devenait de plus en plus rouge. Jamais personne n'avait osé tenir tête à M. Benton, administrateur et président-directeur général des Entreprises Benton !

— Vous ne pouvez pas ? tonna-t-il. Qu'entendez-vous par : vous ne « pouvez pas » ? Bien sûr que si ! Vous allez exécuter mes ordres, Miss French. C'est très facile. Il vous suffit de m'accompagner dès maintenant chez M. Carter. Vous lui expliquerez que l'erreur est de vous, que vous avez oublié d'inclure cette clause dans le contrat.

— Mais ce n'est pas...

Il ignora délibérément sa tentative d'intervention.

— Voici le scénario que je vous propose : j'étais absent ce jour-là. Vous n'auriez pas dû lui envoyer ce dossier sans le soumettre à mon approbation, mais vous le saviez pressé de le recevoir. Cet idiot m'a déjà plus ou moins accusé de vouloir me jouer de lui. De cette manière, il admettra que la faute vous en incombe à vous uniquement.

Il scruta attentivement le visage ovale de la jeune fille, aux traits fins et délicats, aux grands yeux d'un brun velouté et lumineux et à la bouche tendre. Ses cheveux blonds étaient sagement tirés en arrière et rassemblés en un catogan tenu par un ruban noir.

— Vous semblez tout à fait innocente, ajouta-t-il avec aigreur. Si vous jouez le jeu avec conviction, comme je vous le conseille, Carter se laissera facilement convaincre.

Suzanne plissa le front.

— Mais tout cela est un mensonge, monsieur ! C'est vous qui m'avez ordonné d'éliminer cette clause. D'après vous, M. Carter était d'accord... D'ailleurs, je vous ai montré les papiers avant de les envoyer. Comment puis-je affirmer le contraire ?

Le président exhala un profond soupir, leva les yeux au ciel, puis examina Suzanne, l'air dédaigneux.

— Juste Ciel ! Quel entêtement ! Je dirige une importante entreprise industrielle, Miss, pas un cours de catéchisme !... Vous voulez obtenir une promotion un jour ou l'autre, n'est-ce pas, Suzanne ? reprit-il d'une voix persuasive. Lorsque je vous ai interviewée avant de vous engager, vous m'avez fait part de vos ambitions. Le moment est venu d'agir. Obéissez-moi, je vous en saurai gré. Vous savez combien ce contrat représente pour moi... pour le prestige de la compagnie ?

— Oui, monsieur.

— C'est la plus grosse transaction de l'année, et même, de la vie de mon affaire ! Voyons, Miss French, n'avez-vous aucun sens de la loyauté ? Envers la Benton... et envers moi ?

— Si, monsieur, bien sûr, avoua-t-elle, la tête haute. Cependant, il m'est impossible d'obtempérer. Ce serait malhonnête. Votre intention était claire : vous espériez duper Carter en faisant disparaître cette condition, et gagner ainsi une somme considérable sur son dos. C'est bien cela ?

Un sourire malin éclaira les traits de M. Benton.

— Vous êtes intelligente, Suzanne ! Nous avons besoin de personnes comme vous ici. Vous irez loin, je peux vous l'assurer.

Il se leva d'un bond.

— ... Suivez-moi. Allons voir M. Carter immédiatement. Il m'attend à onze heures précises.

Suzanne demeura à sa place. Il la pressait d'agir contre tous ses principes moraux. Un frisson la parcourut ; elle avait les mains moites. L'heure était grave : elle risquait de perdre sa place. Pourtant, elle fit un signe de dénégation.

— Je regrette, monsieur Benton, mais je ne vous accompagne pas.

Il la fusilla du regard. Paupières baissées, elle fixa ses genoux. Son patron était immense... plutôt gros, presque effrayant.

— Si je comprends bien, grinça-t-il, vous vous opposez à mes désirs ?

— Je crains que oui, chuchota-t-elle.

Un silence presque insoutenable se fit. Petit à petit, John Benton prenait conscience d'un événement incroyable : sa propre secrétaire le trahissait ! Son poing tomba lourdement sur le bureau.

— Petite sotte ! Je n'ai jamais vu quelqu'un d'aussi borné ! Très bien, si vous ne venez pas, j'en trouverai une autre ! lança-t-il, en pointant un index accusateur. Sortez ! Et surtout, ne revenez plus ! Vous êtes renvoyée, vous m'entendez ? *Renvoyée !* Ramassez toutes vos affaires et allez-vous-en ! Et que je ne vous revoie plus jamais, sinon, gare à vous... !

Suzanne s'était levée, tremblante. Elle s'accrochait désespérément à la table pour se soutenir. John Benton s'avança de quelques pas, puis s'immobilisa.

La porte s'ouvrait. A travers un voile de larmes, Suzanne reconnut Della, la fille de M. Benton.

— Della! Que fais-tu ici? Qui t'a autorisée à entrer de cette façon? Je t'ai déjà répété cent fois de ne pas venir me déranger ici!

— J'ai à te parler, papa, c'est très urgent. Je t'en supplie, écoute-moi.

— Cela peut certainement attendre!

— Non, je désire te voir maintenant! reprit-elle, la voix brisée, en le saisissant par le bras.

— Tu m'as entendu, Della? Non! Rentre à la maison et cesse de m'importuner avec tes histoires!

Il la dépassa vivement et pénétra dans la pièce attenante, où il interpella une secrétaire réfugiée dans un coin. Suzanne en déduisit qu'il lui donnait un ordre. Puis il sortit sur le palier en claquant bruyamment la porte.

Les deux jeunes filles s'observèrent, décontenancées... Della Benton se laissa tomber dans le fauteuil de son père.

— Il est vraiment de mauvaise humeur!

— En effet, acquiesça Suzanne, les lèvres pincées.

Son propre bureau était situé à l'autre bout de la salle. Elle s'y dirigea d'un pas lent, ouvrit les tiroirs et tria toutes ses affaires. Plus vite elle serait partie, mieux cela vaudrait...

Deux mois! Elle avait été promue deux mois auparavant seulement! A cette époque, Suzanne s'était félicitée de sa chance... mais elle ne connaissait pas M. Benton, le président-directeur général. Ambitieuse, fière de ses qualités et de ses aptitudes, elle avait dans un premier temps supporté tous les caprices de son nouveau patron. Elle lui avait même trouvé des excuses! M. Benton avait trop de soucis, il en arrivait à l'âge où la pression du monde des affaires devenait intolérable...

Elle mit son stylo dans son sac et le referma d'un geste décidé. Tant pis! Après tout, en cherchant bien, elle trouverait une autre place assez vite. Naturellement, ses projets pour l'année à venir en seraient modifiés. Elle serait obligée de tout recommencer à zéro... Adieu le rêve de quitter sa pension de famille pour s'installer dans un petit appartement! Envolé celui d'un séjour au soleil l'été prochain...

Elle exhala un profond soupir. En deux mois, Suzanne avait beaucoup appris. Elle avait apprécié de prendre des responsabilités, mais refusait de participer à de telles duperies. Etait-ce vraiment cela, le monde des affaires? Dans ce cas, elle préférait rester dans le bureau des dactylos.

La jeune fille redressa les épaules. Il fallait agir en toute lucidité. Elle allait descendre à la comptabilité, réclamer son dû. Ensuite, elle déjeunerait rapidement dans un petit restaurant au coin de la rue, avant de se diriger vers l'Agence pour l'Emploi située dans Oxford Street.

Au moment de sortir, elle se rappela la présence de Della Benton. Recroquevillée dans son fauteuil, pelotonnée dans son manteau de fourrure, elle sanglotait en silence.

Suzanne hésita. Quel malheur d'être la fille d'un homme comme John Benton! Mais les problèmes de Della ne la concernaient pas... Sa première réaction fut de la laisser là, sans rien dire. Cependant, un élan de pitié la submergea. Suzanne s'en voulait vaguement de sa propre faiblesse : elle était incapable de refréner ses impulsions. Elle s'approcha de Della et posa une main réconfortante sur son bras.

— Ce n'est pas grave, murmura-t-elle. Rien n'est dramatique, on se remet toujours de ses chagrins.

C'était un mensonge : son père était mort depuis deux ans déjà et la plaie n'était pas cicatrisée...

Deux immenses yeux noirs, noyés dans un petit visage décomposé la fixèrent.

— C'est affreux ! hoqueta Della. Vous ne pouvez pas imaginer comme c'est horrible !

Suzanne sortit un mouchoir propre de sa poche et le lui tendit.

— Je ne suis au courant de rien, je le sais. Cependant, nous sommes toutes deux dans une situation affligeante. Je voulais simplement vous offrir ma sympathie... Gardez le mouchoir.

— S'il vous plaît, ne partez pas ! Que... Que voulez-vous dire... toutes les deux... ?

Suzanne s'arrêta sur le seuil de la pièce.

— C'est simple ! Votre père vient de me renvoyer. Je crains de l'avoir mis en colère, ce qui expliquerait son accueil désagréable à votre arrivée. Vous êtes la goutte d'eau qui a fait déborder le vase, si je puis m'exprimer ainsi. Je suis désolée, mais ce n'était pas entièrement ma faute.

Della essuya ses larmes du revers de la main.

— Il vous a renvoyée ? Mais pourquoi ? Vous m'avez toujours semblé si... si efficace. Je vous trouvais si calme, si responsable. J'aurais tellement voulu vous ressembler !

— Nous avons eu un léger différend. Il n'a pas réussi à me faire changer d'avis.

Della la contempla, sincèrement admirative.

— C'est extraordinaire ! Vous avez osé lui opposer résistance alors qu'il était de mauvaise humeur ? Comment y êtes-vous parvenue ?

Suzanne haussa les épaules.

— J'ai perdu ma place.

— Qu'allez-vous faire à présent ?

— Je vais déjeuner, puis j'irai à l'Agence pour l'Emploi.

Della avait sorti son poudrier. Elle le referma avec un bruit sec.

— Ecoutez... Comme vous l'avez si bien dit tout à l'heure, nous nous trouvons toutes deux dans une situation affligeante. Venez déjeuner avec moi, nous bavarderons. Je vous propose d'aller à mon club. L'atmosphère y est très calme... Vous acceptez ?

Suzanne vit devant elle une jeune fille désespérée, suppliante. Une jeune fille de son âge, qui lui ressemblait un peu. Du moins, physiquement... Della avait pour père un homme immensément riche qui pouvait lui offrir des manteaux de fourrure et des bijoux, comme cette montre en or incrustée de diamants... Della n'était pas de son monde. Il était imprudent de s'immiscer dans un milieu qu'elle ne connaissait pas.

— ... Je vous en prie ! insistait Della en l'implorant du regard.

— Volontiers.

Suzanne ne pouvait imaginer à quel point cette simple parole allait bouleverser sa vie entière...

Les rues de Londres étaient fort encombrées, comme toujours, mais elles purent enfin héler un taxi qui les déposa devant une demeure cossue dans le quartier de West Kensington.

— Et voilà, lança Della en pénétrant dans le hall feutré. C'est chic, n'est-ce pas ? Mon père l'a choisi exprès. Devinez pourquoi ? Ici, il me croit en sécurité !

Deux dames respectables, vêtues de tailleurs stricts, les croisèrent. Les propos de la plus grande des deux brisèrent le silence.

— Ma chère Eléonore, je ne vous conseille pas de vendre vos actions tout de suite. Je bavardais hier soir avec le Secrétaire de...

Elles s'étaient déjà éloignées.

— Vous comprenez ce que je veux dire ? reprit Della en faisant une grimace. De telles compagnes ne m'entraîneront jamais à commettre des sottises !

Suzanne saisissait parfaitement... En jetant un coup d'œil curieux autour d'elle dans la salle du restaurant, elle ne vit aucune femme âgée de moins de quarante ans !

Après un repas copieux, auquel Della toucha à peine, elles s'installèrent dans un salon tendu de velours pour boire leur café.

— Je ne sais plus quoi faire ! s'exclama Della. Je suis au bord de l'abîme !

— Vous souhaitez m'en parler ?

La jeune fille se pencha en avant et lui fit ses confidences... Elle était malheureuse à cause d'un homme, évidemment. Il s'appelait Vic, il était chanteur. C'était l'homme le plus adorable au monde ! Della l'aimait.

— ... Je suis prête à mourir pour lui ! conclut-elle, impétueusement. Vous savez bien...

Suzanne n'en savait rien. Pour sa part, elle n'avait jamais éprouvé de tels sentiments à l'égard d'un homme. Elle avait le temps...

— C'est réciproque ? s'enquit-elle.

— Oui, oui ! Nous voulons nous marier !

— Où est le problème, alors ?

Della plissa les yeux.

— Vous ne vous en doutez pas ? Mon père ne veut pas en entendre parler ! Vic a parfois des idées un peu saugrenues. Il s'attache à certains principes. Il ne voulait pas m'épouser sans avoir obtenu le consentement de John. Il est allé le voir, lui dévoiler nos projets, nos espoirs...

— C'est gentil de sa part.

— C'était de la folie ! Je l'avais pourtant prévenu ! Votre respectable patron était livide de rage et l'a jeté dehors ! Après le départ de Vic, il s'est tourné vers moi et m'a traitée de tous les noms... Il se met dans des colères terribles et moi... moi, je suis terrifiée.

12

— Je comprends... Mais vous êtes majeure, n'est-ce pas ?

— J'ai vingt ans.

Suzanne ne put s'empêcher de sourire. Elle se sentait adulte et pleine d'expérience en comparaison de cette jeune fille ! Pourtant...

— Moi aussi, j'ai vingt ans... Dans ce cas, vous pouvez agir à votre guise. Les parents autoritaires sont complètement démodés, de nos jours.

— Vous croyez ? Quelle impression cela vous ferait-il d'avoir un père comme le mien ?

La gorge de Suzanne se serra. Elle blêmit.

— Oh ! Je suis désolée ! Il est...

Suzanne s'arma d'un sourire courageux.

— Ce n'est rien, un mauvais réflexe. Il est décédé depuis deux ans, mais de temps en temps, des souvenirs douloureux m'assaillent... Nous parlions de vous.

— De John, plutôt. Vous le connaissez suffisamment, je crois. Tout ce qui l'intéresse, c'est le pouvoir et l'argent. Oh ! Il est généreux avec moi et m'offre tout ce dont je pourrais avoir besoin, mais il est intransigeant. Il choisit mes amis, mes loisirs, mes projets d'avenir... A plus d'une reprise, j'ai décidé de partir, poursuivit-elle en se mordant la lèvre. Mais... je ne sais pas pourquoi, cela me paraît trop difficile. J'ai besoin d'être poussée. En ce sens, je ressemble probablement à ma mère : elle n'a jamais osé s'opposer aux désirs de son mari. Elle est morte quand j'avais quatorze ans. Père s'est d'autant plus occupé de moi depuis cette époque.

— Qu'allez-vous faire ? Il est temps de prendre une décision, à présent. C'est important.

— Justement ! J'avais rassemblé tout mon courage pour venir le voir. J'avais la ferme intention de lui annoncer que je m'en allais avec Vic. Au bureau, la chose eût été plus facile ; c'est un lieu impersonnel, ce n'est pas comme à la maison. Vous avez été témoin de la scène... Il y a plus tragique : il a déjà tout organisé pour m'envoyer chez mon parrain, aux Antilles. Il a présenté cela comme de merveilleuses vacances au soleil. Et surtout... le plus loin possible de Vic. Il ne l'a pas précisé, mais il n'en pensait pas moins. Vic part en tournée aux Etats-Unis au même moment. J'avais prévu de l'accompagner. A présent, c'est impossible : s'il ne me voit pas arriver, mon parrain téléphonera immédiatement à mon père pour le prévenir de ma disparition. En quelques heures, j'aurai à mes trousses plusieurs détectives privés, qui me ramèneront à la maison.

Suzanne but une gorgée de café et contempla la jeune fille assise en face d'elle, partagée entre l'irritation et la pitié. Un séjour aux Antilles en ce mois de décembre gris et froid ? Suzanne se serait précipitée sur cette occasion ! Mais Della était amoureuse...

— C'est compliqué, je le comprends bien. Je regrette de ne pas pouvoir vous aider.

Della eut un pauvre sourire.

— Nous devrions changer de place, vous ne croyez pas ? Si j'étais comme vous, capable de résister à mon père, la situation s'arrangerait sans difficulté !

— N'oubliez pas que j'ai perdu mon emploi.

Della hocha la tête.

— C'est vrai. Cela vous déçoit terriblement ?

— Je voulais mettre un peu d'argent de côté pour m'offrir des vacances l'été prochain. Je pensais aller en Espagne. C'est moins loin que les Antilles.

— Le soleil, la plage de sable fin, les cocotiers... cela ne m'amuse pas. Je n'ai qu'un désir : être avec Vic... Si seulement je pouvais trouver un moyen pour m'en sortir !

Mue par un soudain élan d'optimisme, elle abattit

14

son poing serré sur le bras du fauteuil. A cet instant précis, un maître d'hôtel s'approcha.

— Miss Benton, un jeune homme vous demande à la réception.

Il tourna les talons et s'en fut. Della était très pâle, tout d'un coup.

— Vic ! soupira-t-elle, c'est sûrement lui ! Je lui ai pourtant dit de ne jamais venir me trouver ici !

Elle se leva vivement, s'enveloppa dans sa veste de fourrure et se précipita de l'autre côté du hall.

Suzanne la suivit, plus lentement. Elle leur laisserait le temps de s'embrasser, puis s'esquiverait en prétextant un quelconque rendez-vous. Elle avait fait ce qu'elle avait pu pour aider Della. C'était fort peu, en réalité, mais à présent, elle n'avait plus aucune raison de rester.

Elle découvrit Della dissimulée derrière un énorme caoutchouc, le regard furtif comme si elle craignait d'être reconnue. A ses côtés se tenait un grand jeune homme, très mince, aux cheveux blonds et aux yeux pétillants de vivacité.

Suzanne hésita. Cependant, Della l'invitait à les rejoindre.

— Suzanne, je vous présente Vic. Vic, mon chéri, voici Suzanne. Elle est la secrétaire de mon père.

— J'étais, corrigea-t-elle.

Della plissa le front.

— Oui, c'est vrai. Nous avons toutes deux subi la mauvaise humeur de papa ce matin, Vic. Malheureusement, la pauvre Suzanne a perdu sa place. Nous avons décidé de déjeuner ensemble afin de nous consoler mutuellement.

Della s'esclaffa. Elle avait brusquement retrouvé toute sa gaieté et son énergie. Suzanne reçut la ferme poignée de main de son compagnon.

— Bonjour, Suzanne... Grands Dieux ! s'exclama-t-il en la dévisageant de plus près.

15

— Que se passe-t-il, Vic ? Vous vous êtes déjà rencontrés un jour ? s'enquit Della, sur le qui-vive comme toute femme follement amoureuse.

— Non, je ne le crois pas, se défendit-il, l'air incrédule. Nous n'avons jamais été présentés l'un à l'autre, n'est-ce pas, Suzanne ?

— Jamais... Bien... Je ne m'attarde pas davantage. Merci, Miss Benton, j'ai eu grand plaisir à bavarder avec vous.

— C'est gentil d'être venue, murmura-t-elle, le regard fixé sur l'homme à côté d'elle. Je vous souhaite bonne chance pour toutes vos démarches.

Suzanne sourit, inclina la tête en guise de salut, puis sortit d'un pas décidé. Pauvre Della ! pensait-elle en attendant l'autobus qui la déposerait devant l'agence d'Oxford Street. Quel malheur pour elle d'être la fille d'un odieux individu comme John Benton ! Son amour pour Vic était-il sincère et profond ? Aurait-elle la force et le courage de résister aux colères paternelles ? Suzanne l'espérait vivement. Elle avait trouvé le jeune chanteur charmant, courtois, respectable, sûr de lui et surtout... très épris, lui aussi. Comment se terminerait cette histoire ? Elle ne le saurait sans doute jamais, à moins de découvrir une photo d'eux, main dans la main, au détour d'une page de journal. Quelle satisfaction elle en éprouverait ! John Benton serait humilié, mortifié ! Il méritait bien une telle punition !

Le bus arrivait : Suzanne grimpa à l'étage. Le moment était venu d'oublier les problèmes de Della Benton pour se consacrer aux siens.

Vers sept heures du soir, à la tombée de la nuit, la situation lui paraissait bien préoccupante. Suzanne dut chercher son chemin à tâtons dans l'épais brouillard avant d'atteindre la pension de famille où elle avait loué une chambre. Tout lui paraissait triste, sombre, sordide, même le salon. Elle s'installa sur une des chaises marron... celle au ressort cassé... elle s'efforcerait de parcourir une revue jusqu'à l'heure du coucher.

Elle avait erré tout l'après-midi, sans grand succès, à la recherche d'un nouvel emploi. Les résultats de ses démarches n'étaient guère réjouissants : on ne lui proposait que des postes mal rémunérés et inintéressants.

Elle avait pris un café chaud du côté d'Oxford Street, puis, abattue, avait décidé de rentrer.

Toutes les autres pensionnaires étaient sorties... Toutes, sauf Serinder, qui s'était plongée dans ses livres au fond de la salle, son magnifique sari drapé sur son corps frêle. Serinder était venue en Angleterre dans un but précis : faire des études, devenir médecin. Elle s'y appliquait avec ardeur.

Suzanne se dit en l'observant du coin de l'œil qu'elle l'enviait : elle-même n'avait rien à espérer de la vie. A la mort de son père, elle aurait dû poursuivre ses études, essayer d'obtenir une bourse pour l'université. Cependant, l'exécuteur testamentaire, seule personne susceptible de lui donner des conseils à cette époque, lui avait suggéré de suivre une formation de secrétaire à l'aide du petit pécule qu'elle avait reçu en héritage. Suzanne avait accepté cette proposition : l'important pour elle avait été d'oublier son chagrin dans le travail.

Munie de son diplôme, elle avait trouvé un poste dans une compagnie d'assurances. Celui-ci ne la satisfaisant guère, elle s'était précipitée sur l'occasion offerte par les Entreprises Benton. Elle y avait rencontré quelques personnes sympathiques, mais ne les avait guère fréquentées. Puis, un jour, alors que la secrétaire de M. Benton était absente, on lui avait demandé de la remplacer.

A présent, tout était à recommencer...

Sa place n'était pas à Londres. Comme elle regrettait la décision paternelle ! Elle se rappelait ses paroles :

« Vendre mes tableaux ne suffit pas. Dans la capitale, je pourrai enseigner le dessin à mi-temps. Je voudrais t'offrir tant de choses, Suzanne chérie ! De jolies robes, un ou deux bijoux, toutes ces petites folies que les jeunes filles de ton âge apprécient tant !... »

La revue de mode glissa entre ses doigts. Son père était un être généreux, adorable ! Il accordait fort peu d'importance aux choses matérielles et surtout, à l'argent. Seule sa peinture l'avait vraiment passionné ! Oui, s'installer à Londres avait été une grave erreur, pour elle et pour lui. S'ils étaient restés au calme dans le ravissant cottage du Devon, il ne se serait jamais trouvé sur le trottoir dans Edgware Street, une nuit pluvieuse deux ans plus tôt, quand un camion avait dérapé, et...

Un long frisson la parcourut.

Brusquement, elle se redressa. Le moment était venu d'agir : elle allait quitter cette ville. Elle s'installerait ailleurs loin du détestable John Benton !

La sonnerie du téléphone retentit dans le corridor. Suzanne attendit un instant, au cas où la propriétaire aurait l'idée de répondre, puis se leva : personne ne se précipitait vers l'appareil.

— Puis-je parler à Miss Suzanne French, s'il vous plaît ?

— C'est moi.

Elle ne reconnaissait pas cette voix masculine...

— Tant mieux ! Bonsoir Suzanne, ici Vic... Vic Wild. Nous nous sommes rencontrés ce matin au club de Della, vous vous rappelez ? Vous êtes très occupée ?

— Pas vraiment, non.

— Parfait ! Ecoutez... Je viens d'avoir une idée, je souhaite vous en faire part. Je vous appelle d'une cabine au coin de la rue. J'arrive !

— Eh bien, euh...

— A tout de suite !

Décontenancée, elle raccrocha d'un geste lent. Presque aussitôt, elle entendit frapper à la porte d'entrée. Elle ouvrit.

— Della nous attend chez moi ! déclara-t-il sans préambule. Elle est assez pressée car elle doit voir son père à vingt heures. Il la surveille tout le temps ! Nous venons d'avoir une idée géniale, et nous voulons vous en parler tout de suite. Voulez-vous m'accompagner ? Un taxi nous attend dehors.

— Je vais chercher mon manteau.

Le chauffeur les conduisit à toute allure à travers les rues illuminées. Suzanne avait perdu tout sens de l'orientation.

— Comment avez-vous su où me trouver ? s'enquit-elle enfin, en reprenant ses esprits.

— Très simple ! Della a appelé au bureau. Ce renseignement ne fut pas des plus difficiles à obtenir !

Il n'en dit pas plus. Assis sur l'extrême bord de son siège, il semblait vouloir aider le véhicule à aller plus vite. Ils s'arrêtèrent enfin devant une vieille maison, dans un square désert. Vic descendit, paya le chauffeur, puis saisissant Suzanne par le bras, l'entraîna en courant jusqu'au premier étage.

— Elle est là ! Je l'ai ! s'écria-t-il, triomphant.

Suzanne examina la vaste pièce, sommairement meublée et très en désordre. Dans un coin trônait un piano droit, à côté d'une chaîne stéréo sophistiquée munie de tous les gadgets à la mode. Les murs étaient couverts d'affiches, le sol parsemé de revues et de coussins bariolés. La cafetière et les tasses avaient trouvé leur place sur une table basse près de la fenêtre. Une lampe posée par terre diffusait une lumière tamisée.

Della Benton se leva précipitamment de son pouf.

— Suzanne, vous êtes un ange ! Merci d'être venue !

— Venez par ici, mesdemoiselles, je vous en prie, invita Vic, très sûr de son effet. Installez-vous confortablement.

Suzanne accepta le pouf coloré de Della, qui servit le café avant de se glisser aux côtés de Vic sur un étroit canapé. Ils formaient un couple un peu étrange... Della portait un ravissant ensemble rose pâle, un collier de perles, sa montre en or incrustée de diamants. Vic paraissait plus décontracté avec ses jeans délavés, sa veste safari et sa lourde mèche blonde tombant sur son front. Cependant, il était impossible de douter de leur amour. Ils étaient attendrissants, tous les deux. Suzanne aurait tellement voulu les aider ! Sans doute avaient-ils trouvé une solution à leur problème... Elle attendait maintenant les explications de Vic.

Ce dernier sembla tout d'un coup à court de mots. Il buvait, silencieux. Enfin, en soupirant légèrement, il attira Della tout contre lui.

— Suzanne, ceci va vous paraître fou, mais ne m'interrompez pas avant d'avoir tout entendu. Voilà. Della vous a annoncé que son père l'envoie aux Antilles pour une durée indéterminée afin de l'éloigner de moi, n'est-ce pas ? J'ai l'intention de l'en empêcher coûte que coûte, même si cela représente un certain nombre de risques à courir. Je veux l'emmener avec moi en tournée, à travers les Etats-Unis et le Mexique. Je tiens à lui montrer avant notre mariage ce qu'implique la vie d'un chanteur.

— Vic, mon amour, tu sais bien que...

— Oui, je sais, mais tu dois t'en assurer par toi-même. Sinon, ce serait injuste pour toi... Je ne peux pas convaincre Della de s'enfuir pour me suivre. Ce serait ridicule : son père nous retrouverait rapidement et laisserait libre cours à sa colère... Nous devrons donc nous résoudre à battre M. Benton à son propre jeu. En d'autres termes, nous allons essayer de le duper. Il use volontiers de cette pratique pour obtenir satisfaction.

Suzanne hocha la tête. Elle connaissait tous les subterfuges diaboliques utilisés par John Benton. De toutes ses forces, elle espéra voir Della et Vic mener à bien leur projet. M. Benton méritait bien qu'on lui rende la monnaie de sa pièce !

— Je vous souhaite bonne chance. Comment puis-je vous aider ?

— Justement, j'y viens, reprit-il, d'une voix un peu moins assurée. En réalité, tout dépend de vous, Suzanne. Un vague projet s'est formé dans mon esprit quand je vous ai vue à côté de Della ce matin. J'étais stupéfait... Vous vous ressemblez d'une façon étonnante, vous auriez presque pu être sœurs jumelles ! Vous ne vous en êtes pas aperçue, Suzanne ?

— Non, non... J'ai toujours trouvé Della jolie... Evidemment, nos cheveux sont de la même couleur, nos yeux aussi, nous sommes d'une taille comparable, mais...

Vic se leva précipitamment, saisit les deux jeunes filles par la main et les conduisit devant une immense glace accrochée au mur.

— Regardez !

Suzanne s'exécuta, dubitative.

— Euh !... bien entendu, c'est assez frappant, mais !...

Della eut un sourire malicieux.

— Détachez vos cheveux... Alors ?

Suzanne s'esclaffa.

— En effet... C'est extraordinaire !

Vic sourit en se frottant les mains, tandis qu'ils regagnaient leurs places.

— C'est pourquoi j'ai eu cette idée. Je me suis dit : si seulement Suzanne pouvait partir aux Antilles à la place de Della, nous serions sauvés ! J'ai moi-même été effrayé par mon audace. Cependant, Della m'a expliqué comment son père vous a traitée puis renvoyée sans façon. Vous lui en voulez, j'en suis certain, vous êtes peut-être même prête à prendre une revanche sur lui. C'est alors que j'ai échafaudé un plan plus élaboré.

Le cœur de Suzanne se serra. Elle croyait comprendre...

— Un instant ! intervint-elle avec hâte... Si vous voulez me proposer de prendre la place de Della, d'incarner son personnage, c'est impossible ! Je suis désolée, mais je ne le pourrais pas...

Della secoua vigoureusement la tête, mais laissa à Vic le soin de parler.

— Non, non, vous n'avez pas saisi ! Ce n'est pas cela ! De toute façon, le parrain de Della, qui l'adore, ne s'y tromperait pas ! Notre projet est beaucoup moins audacieux. Della a une réservation pour mardi prochain. Elle doit normalement changer d'avion à Miami. Bien sûr, son père l'accompagnera à l'aéroport. Mon orchestre et moi partons le même jour, un peu plus tôt dans la matinée, pour Miami. J'avais pris un billet pour Della, au cas où elle aurait pu venir avec nous comme prévu. Si vous acceptiez, Suzanne... Non, ne dites rien encore !... Si vous êtes d'accord, vous pourriez changer de place avec Della pendant l'escale. En arrivant chez son parrain, vous expliquerez la situation. Vous tâcherez de l'attendrir sur notre sort. Demandez-lui de nous accorder quelques jours, une semaine au plus. Nous ne vous faisons pas une proposition malhonnête. Nous resterons en contact avec vous par téléphone. Si le parrain de Della a l'esprit large, il vous offrira quelques jours de soleil au bord de la mer. S'il ne veut pas jouer le jeu, nous ramènerons Della immédiatement. Qu'en pensez-vous ?

Suzanne avait écarquillé les yeux, ahurie.

— Vous êtes fous ! Vous êtes complètement fous ! soupira-t-elle.

— C'est vrai, convint-il en se penchant vers Della pour l'embrasser tendrement sur la joue.

— Mais il y aura tant de choses à mettre au point !

Vic et Della se lancèrent un coup d'œil entendu : elle faiblissait !

— Deux seulement, insista-t-il. Premièrement, avez-vous un passeport ? Vous n'en aurez pas besoin pour entrer dans les îles Caïmans... C'est une colonie anglaise... mais il vaut mieux l'avoir sur soi pour passer la douane à Miami.

— Je l'ai fait faire il y a quelques semaines à peine. M. Benton doit se rendre à une conférence en Allemagne. Je devais l'y accompagner.

— Parfait. Deuxièmement... Une autre chose un peu délicate. Avez-vous à consulter un... un...

— Un fiancé ? Non, je n'ai pas encore trouvé l'âme sœur...

Une lueur de malice brilla dans les yeux de Della.

— Restez aux aguets dans les Antilles. Vous y trouverez peut-être votre prince charmant. A propos, je tiens à vous prévenir, mon père avait tout prévu : un certain Gérard North devait s'occuper de moi. C'est un ami d'oncle Ben, mon parrain, un industriel, je crois. Mon oncle s'est installé là-bas depuis qu'il a pris sa retraite. Ce M. North est sans doute très riche, lui aussi. C'est sans doute la raison pour laquelle mon père chéri voulait à tout prix me convaincre de le séduire...

Elle grimaça.

— Moi aussi, je serai riche ! intervint Vic en riant. Et bientôt ! Nous serons les premiers au hit-parade !

Della déposa un baiser sur son front.

— Ne dis pas de sottises. Je préfère vivre dans la misère plutôt que de m'ennuyer à mourir dans une cage dorée avec un gardien aussi sévère !

— Gérard je-ne-sais-quoi ne me plairait probablement pas non plus, plaisanta Suzanne.

— Ne vous inquiétez pas ! Quand il découvrira qui vous êtes en réalité, il s'enfuira en courant ! Ces gens-là ne s'intéressent qu'au pouvoir et à l'argent. Tous… sauf oncle Ben. Il est adorable, ce n'est pas sa faute s'il est milliardaire.

Tous éclatèrent d'un rire joyeux. Puis, un silence pesant les enveloppa.

— Acceptez-vous de nous aider, Suzanne ? s'enquit enfin Della. C'est un peu osé de vous demander un tel service, je le sais bien, mais vous êtes notre seul espoir.

En un éclair, Suzanne revit John Benton, livide de rage, tyrannisant son personnel, trompant, bernant les uns et les autres sans scrupules pour obtenir gain de cause en dépit de tout. Suzanne contempla sa fille, si vulnérable…

— Nous sommes complètement fous… tous les trois ! Je pars !

2

Tout s'était passé très vite, comme dans un rêve. Suzanne se tenait dans le salon d'arrivée de l'aéroport de la Grande Caïman, à côté de ses bagages... ou plutôt de ceux de Della. Elle scrutait attentivement la salle, à la recherche de l'homme qui devait venir à sa rencontre.

Une soixantaine d'années, replet, un visage rond agrémenté d'une barbe blanche impeccable... Ainsi Della avait-elle dépeint son parrain, Ben Caldicott, oncle de sa mère disparue.

— Il est adorable ! avait assuré la jeune fille. C'est pourquoi j'ose vous envoyer chez lui à ma place. Je suis à peu près certaine de sa réaction : il nous défendra et nous soutiendra tous les trois.

Le vaste hall était rempli de monde. La plupart des passagers étaient des touristes américains, venus se reposer et s'amuser au soleil. Suzanne ne voyait toujours pas l'inconnu à la barbe blanche.

Elle s'assit, aux aguets. M. Caldicott ne la reconnaîtrait sûrement pas. Elle n'était pas Della, même si elle lui ressemblait de manière frappante. Ce serait donc à elle de faire le premier pas. Son discours était déjà tout préparé. Mentalement, elle se le répéta :

« Monsieur Caldicott ? commencerait-elle. Bonjour. Je m'appelle Suzanne French, je suis une amie de Della. J'espère ne pas vous infliger un trop grand choc en apparaissant ici à sa place. Cependant, si vous le voulez bien, nous pourrions nous rendre dans un endroit tranquille, où je vous fournirais toutes les explications. »

Avec un peu de chance, il acquiescerait. Il l'emmènerait chez lui, et Suzanne lui narrerait toute l'histoire depuis le début.

Pourquoi n'était-il pas encore arrivé ? Suzanne se sentait de plus en plus nerveuse. Della s'était peut-être trompée... Ben Caldicott risquait de se mettre en colère. Parviendrait-elle à le convaincre ? Vic et Della s'aimaient. Della n'était plus une enfant, elle avait vingt ans, donc le droit et une maturité suffisante pour prendre ses responsabilités. C'était à elle de décider qui elle voulait épouser...

Tous les doutes de Suzanne s'étaient dissipés quand, à Miami, elle avait vu Della se précipiter dans les bras de Vic : tous deux avaient paru ivres de bonheur.

Suzanne avait beaucoup apprécié le début de ce voyage. La veille, à Heathrow, elle était montée pour la première fois de sa vie dans un avion. L'exaltation l'avait submergée dès que l'énorme appareil eût décollé. A travers son hublot, elle avait vu les bâtiments de Londres se réduire jusqu'à devenir de véritables miniatures. Puis ils avaient survolé les collines coulant vers le bord de mer rocailleux. Enfin, ils avaient abordé la traversée de l'Atlantique, immensité bleue et scintillante, visible de temps à autre entre deux gros nuages cotonneux.

Vic et les trois membres de son orchestre s'étaient beaucoup réjouis de son enthousiasme. Ils l'avaient gentiment taquinée à ce sujet au cours des six heures de vol. Eux-mêmes... en tout cas, ils aimaient à le croire, étaient des voyageurs blasés. Suzanne, en revanche, exprimait à haute voix sa joie. Elle avait pris la décision de partir et profiterait pleinement de cette aubaine.

Le changement à Miami s'était effectué sans difficulté. Suzanne et Vic avaient patiemment attendu l'arrivée de Della. Tous trois avaient manifesté leurs émotions. Ils avaient été partagé entre la joie, l'excitation, et la crainte de voir brusquement surgir John Benton...

Della avait tendu son billet de retour à Suzanne.

— On ne peut pénétrer dans les îles Caïmans sans ce ticket, avait-elle expliqué en souriant. Apparemment, ils ont peur que tous les touristes s'y installent pour toujours. Le voici donc. Si jamais la situation s'avérait par trop délicate, vous pourriez rentrer immédiatement à Londres. Mon nom est inscrit dessus, mais à mon avis, personne n'y prendra garde. N'oubliez pas de prendre mes bagages dans la salle de débarquement. J'espère que vous aimerez les vêtements que j'y ai rangés. Nous sommes à peu près de la même taille : ils vous iront à merveille... Deux valises beige clair. J'ai collé dessus d'énormes étiquettes vert-pomme, vous les reconnaîtrez facilement. Vous saurez vous débrouiller ?

— J'ai observé Vic, lors du débarquement tout à l'heure, il n'y aura pas de problème, je pense.

— Parfait. Il ne vous restera plus qu'à trouver oncle Ben. Vous croyez pouvoir l'amadouer ? Quelle audace nous avons eu de vous demander ce service ! J'espère que vous ne nous en voulez pas.

— Pas du tout, assura-t-elle d'une voix confiante, avec un sourire radieux... Je suis ravie à l'idée de découvrir ces îles paradisiaques, ne fût-ce que pour une journée !

Tous deux l'avaient embrassée avec effusion avant de l'escorter jusqu'à la salle d'embarquement. A les voir ainsi ensemble, si heureux, Suzanne avait, elle aussi, éprouvé un élan de bonheur. Elle ferait tout en son pouvoir pour attendrir M. Caldicott sur le sort de ces tourtereaux...

La foule se dispersait petit à petit. L'homme à la barbe blanche n'avait toujours pas paru. La gorge de Suzanne se serra. Avaient-ils commis une erreur dans leur plan ? De l'endroit où elle se trouvait, elle était obligée de le voir : la salle était minuscule en comparaison de celle de l'aéroport de Heathrow.

Elle joua distraitement avec la fermeture de son sac à main. Devait-elle partir à la recherche d'une cabine téléphonique ? Le numéro de M. Caldicott se trouvait certainement dans l'annuaire... Non, pas tout de suite. Dans cinq minutes...

De nouveau, le hall fut envahi. L'atterrissage d'un second avion venait d'être annoncé par les haut-parleurs. Sans doute venaient-ils accueillir les passagers. Tous ces gens semblaient fort détendus, avec leurs vêtements larges et bariolés, drapés sur des épaules bien brunes. Suzanne était un peu honteuse : elle était d'une pâleur maladive à côté d'eux. Resterait-elle suffisamment longtemps pour acquérir ce magnifique teint cuivré ?

Une fois de plus, elle examina tous ces étrangers. A présent, elle était tout à fait inquiète. Deux petits garçons, ayant échappé à la surveillance de leurs parents, avaient entrepris l'escalade du fauteuil dans lequel elle s'était installée. Elle les contempla quelques instants, amusée, puis aperçut une haute silhouette au loin. L'homme... le père, sans aucun doute... s'avançait vers elle d'un pas décidé, l'air morose. Pauvres enfants ! pensa-t-elle, attendrie.

Cependant, l'inconnu les ignora complètement. Il s'immobilisa devant elle, la détailla brièvement.

— Miss Benton ? Je me présente : Gérard North. Je suis désolé d'arriver si tard. Vous attendiez M. Caldicott. Malheureusement, il n'a pas pu venir.

Je vous expliquerai tout cela plus tard. Ce sont vos bagages ? poursuivit-il en saisissant les deux valises... Ma voiture est dehors, sortons d'ici.

Sans attendre de réponse, il tourna les talons. Quel accueil ! Elle ne savait plus si elle devait obéir ou demeurer sur place. Mais il avait ses affaires ; elle lui emboîta donc le pas.

Il l'avait prise pour Della, c'était clair. Ou il l'avait déjà vue en photo, ou alors oncle Ben la lui avait décrite. L'erreur était presque inévitable : elles se ressemblaient tellement... !

« Très bien, M. Gérard North ! Vous ne me donnez pas le temps de vous répondre ? pensa-t-elle à part elle. Vous n'aurez droit à aucun éclaircissement de ma part, tant pis pour vous ! » D'ailleurs, ces explications étaient destinées au parrain de Della, à personne d'autre. Cet homme était déplaisant, elle lui parlerait le moins possible. S'il était l'heureux élu sélectionné par John Benton pour sa fille, Suzanne ne pouvait que se féliciter doublement d'être ici à la place de la pauvre Della ! Sa nouvelle amie, si fragile et vulnérable méritait mieux qu'un odieux individu comme celui-ci !

Elle observa attentivement son dos, tandis qu'il se frayait un chemin dans la foule. Il n'avait même pas la courtoisie de jeter un coup d'œil par-dessus son épaule pour savoir si elle arrivait à le suivre ! Cependant, elle était obligée de l'admettre : il avait un physique impressionnant. Vêtu d'un pantalon marron et d'une chemise d'une blancheur éclatante, il se mouvait avec une grâce féline. Elle imaginait parfaitement ces bras musclés maniant une raquette de tennis ou un club de golf... ou encore, fendant les vagues avec rythme et souplesse. Il devait nager merveilleusement... Elle se secoua intérieurement. Quelle importance cela pouvait-il avoir ? Jamais elle n'accepterait d'aller se baigner avec lui !

Quand elle sortit de l'aérogare, la beauté alentour mit un terme à ses réflexions. Elle était au beau milieu de la mer des Caraïbes, sur une île tropicale ! C'était un véritable miracle ! Si elle n'avait pas rencontré Della une semaine auparavant, elle serait encore à Londres, dans la grisaille et l'humidité, en train d'arpenter les rues mouillées à la recherche d'un emploi !

Suzanne avait mis sa montre à l'heure américaine avant l'escale de Miami. Elle la consulta : il était un peu plus de quatorze heures. Elle s'arrêta un instant pour humer l'air parfumé. Le ciel était d'un bleu d'azur, un soleil brillant déversait ses rayons sur les automobiles étincelantes et les passants aux chemises bigarrées. Tous semblaient d'humeur joyeuse. Un sentiment de bonheur intense l'envahit.

— Par ici !

L'ordre péremptoire de Gérard North la ramena brusquement à la réalité. Il se tenait devant une voiture de sport décapotable.

Elle étouffa un fou rire nerveux. Elle n'avait pas l'intention d'obéir au doigt et à l'œil à cet homme arrogant. Elle s'avança d'un pas sautillant, prenant tout son temps, et s'installa dans le siège du passager. Dissimulant à peine son impatience, Gérard North claqua la portière. Il contourna le véhicule, se glissa derrière le volant, et démarra dans un vrombissement terrible.

Il lui adressa un bref regard.

— Je suis désolé de vous presser ainsi. Vous avez mal choisi votre heure, j'étais en réunion. Il s'agit d'une transaction fort délicate, impliquant des sommes considérables. Je devrais être à mon bureau en ce moment.

Suzanne se raidit.

— Il était inutile de venir à ma rencontre. Si oncle

Ben avait un empêchement, il suffisait de me faire prévenir à l'aéroport. J'aurais trouvé un taxi...

— Vous ne savez pas tout, gronda-t-il en appuyant sur l'accélérateur. Ben n'est pas là. Il a été pris de malaises à l'aube ce matin. À l'hôpital de cette ville, ils ne sont pas équipés pour le soigner. Ils l'ont transporté de toute urgence aux Etats-Unis, en hélicoptère. D'après les médecins, une opération sera nécessaire.

— Ah... C'est affreux.

Les pensées les plus diverses se bousculaient dans son esprit. Comment réagir maintenant ? Une situation entièrement nouvelle et inattendue se présentait ! Cependant, elle n'eut pas à prendre une décision : Gérard North s'en chargeait à sa place.

— Je vous dépose à l'appartement que je partage avec Ben, je vous y laisserai pour retourner à mon bureau. Nous organiserons votre départ plus tard.

Il se réfugia dans un silence morose. Suzanne n'avait aucune envie de bavarder : elle était trop préoccupée. L'automobile traversa le quartier commerçant, puis celui des affaires, avec ses hautes tours modernes. Ils roulèrent ensuite sur une route poussiéreuse bordée d'arbres et de buissons étranges. Çà et là, elle aperçut de somptueuses villas entourées de jardins à la luxuriante végétation tropicale. Gérard North conduisait vite, mais il semblait parfaitement maître de lui.

Bientôt, ils bifurquèrent dans une allée ornée de chaque côté de palmiers et de parterres fleuris. La voiture s'arrêta devant un vaste bâtiment blanc entouré d'une pelouse très bien entretenue. A quelques mètres de là, les eaux turquoises de la piscine étincelaient sous le soleil.

Gérard North se pencha par-dessus la jeune fille pour ouvrir sa portière. Elle réprima un cri admiratif.

— C'est… C'est grandiose ! s'exclama-t-elle. Est-ce la maison d'oncle Ben ?

— C'est un immeuble divisé en appartements, s'irrita-t-il. Suivez-moi.

Il prit les deux valises dans le coffre et la précéda d'un pas alerte.

Elle eut à peine le temps de voir le décor luxueux du hall d'entrée.

— Voilà, c'est tout ce que je peux faire pour vous pour l'instant, déclara-t-il arrivés à l'appartement où il déposa ses bagages. Installez-vous. Si vous avez soif, servez-vous ! Je reviendrai plus tard, ajouta-t-il en se retournant sur le seuil. Je ne puis malheureusement vous préciser à quelle heure.

Sur ces mots, il se détourna brusquement et disparut. Suzanne entendit le rugissement du moteur, puis ce fut le silence.

— Ça alors ! s'écria-t-elle, abasourdie.

Elle pénétra dans le salon. La lumière du soleil, filtrée entre les lattes blanches du store, barrait la moquette bleue de longs rais lumineux. Le décor était moderne : fauteuils confortables, tables basses laquées, tableaux de peintres contemporains. La pièce était plutôt austère, il y manquait une petite touche gaie. Gérard North avait dit qu'il partageait ce logement avec Ben. Que voulait-il dire exactement ? En quoi cela devait-il l'affecter par la suite ?

Mais Suzanne était trop lasse pour réfléchir de façon cohérente. Avant toute chose, elle voulait se désaltérer. Elle découvrit la cuisine au détour d'un corridor… Le rêve de toute femme au foyer avec ses multiples gadgets !

Femme au foyer ? Aucune femme ne vivait ici ! D'après Della, Gérard North était considéré par son père comme un célibataire très recherché. Quant à Ben Caldicott, il était veuf… Donc, logiquement, si Ben était à l'hôpital, Suzanne serait obligée de rester

ici toute seule avec... Gérard North ! Quel ennui !
Jamais ils ne s'entendraient ! Ils se connaissaient à
peine, mais Gérard avait visiblement eu du mal à
dissimuler son mépris. Le cœur de Suzanne se mit à
battre sourdement.

L'appartement était en réalité un duplex. Elle
monta au premier étage... Trois chambres, deux
salles de bains... Les deux premières pièces semblaient habitées : quelques flacons avaient été soigneusement disposés sur la commode. Suzanne en
conclut que la troisième était destinée à son usage
personnel. Elle y pénétra et se dirigea directement
vers la longue baie vitrée s'ouvrant sur un balcon.

Elle prit une longue inspiration. La vue était
splendide ! Partout, du sable blanc, des cocotiers
frémissants ! Au loin, la mer, aux couleurs chan-
geantes et les récifs ! Ce monde sous-marin devait
être de toute beauté !

Suzanne était ravie. Tout s'était passé si vite ! Elle
n'avait pas songé à toutes les activités qu'elle pourrait exercer dans ce paradis !

Plonger ! Elle allait de nouveau plonger ! Les
souvenirs surgissaient d'un seul coup. Dans le
Devon, où elle avait vécu toute son enfance,
Suzanne avait passé ses vacances d'été à faire de la
plongée sous-marine. Expert en la matière, son père
lui avait enseigné les rudiments de ce sport. Au
cours de sa dernière année au lycée, Suzanne s'était
inscrite dans un club où elle avait pu se perfec-
tionner.

Suzanne se rappelait encore combien son père
avait été fier d'elle : pour son dix-septième anniver-
saire, il lui avait offert un équipement complet.
Jamais de sa vie elle n'avait été aussi heureuse ! Les
journées s'étaient succédées dans la sérénité. Dans
la matinée, pendant qu'il s'isolait pour peindre,
Suzanne s'occupait des tâches domestiques. Après le

déjeuner, ils chargeaient les porte-bagages de leurs bicyclettes et descendaient le long d'un sentier tortueux jusqu'au bord de la mer.

Quelle magie, dans ces expéditions sous l'eau ! Ensemble, ils avaient exploré d'extraordinaires jardins d'algues ondulantes, admiré l'adresse des crabes guettant leur proie de leur cachette...

Lorsqu'à la fin de cette saison-là, il avait annoncé son intention de quitter leur petit cottage pour s'installer à Londres, Suzanne avait exprimé tout son désarroi :

— Mais... la mer, la plongée ! s'était-elle récriée, les yeux voilés de larmes.

— Je sais, ma chérie, je sais. Moi aussi, je regretterai cette vie. Nous reviendrons... l'été prochain, si tu veux. Je dois absolument accepter ce poste de professeur de dessin. Mes tableaux se vendent moins depuis quelques mois. La semaine dernière, Joe Barnes m'a déclaré que la galerie dans laquelle j'expose mes œuvres à Exeter allait bientôt fermer. Soyons réalistes et sages, mon ange, je n'ai pas le droit de t'imposer de vivre cette vie de bohème.

— Mais... avait-elle protesté en hoquetant, tu as dépensé trop d'argent pour moi ! Les leçons de plongée, l'équipement, tout cela a dû te coûter une fortune ! Tu n'aurais pas dû, tu n'en avais pas les moyens !

Il avait entouré ses épaules d'un bras réconfortant.

— Ne pleure pas, Suzanne, tout va s'arranger, tu verras. Nous travaillerons de toutes nos forces, nous économiserons quelques sous, et un jour, nous aurons de quoi nous offrir un séjour dans une île tropicale afin d'en explorer les récifs.

Un sanglot dans la gorge, Suzanne contempla le paysage maintenant brouillé devant elle. Si seulement il avait pu être là, à ses côtés : son rêve était devenu réalité! Elle s'efforça de sourire. Son père n'était plus de ce monde, mais il serait sûrement heureux pour elle. Elle irait admirer les coraux en pensant tout spécialement à lui...

Après un long moment de méditation, elle revint dans la chambre. Il faisait chaud. Elle s'arrêta un instant devant l'appareil de climatisation, mais n'osa y toucher.

Elle descendit dans le vestibule, prit ses valises et les monta. Par prudence, Della avait insisté pour mettre des bagages à elle dans l'avion en partance pour Miami. Les deux jeunes filles avaient prévu ensemble que Suzanne utiliserait les vêtements de Della pendant tout son séjour aux Antilles anglaises.

Suzanne en découvrit le contenu avec un plaisir grandissant... Quelle garde-robe! Elle sortit d'adorables robes d'été en coton, des jupes, des chemisiers et des tee-shirts, une collection de bikinis, une petite mallette contenant une impressionnante panoplie de maquillage... Deux tenues habillées et vaporeuses pour le soir, un magnifique châle en dentelle blanche, des sandales de toutes les couleurs, une pile de lingerie fine...

Suzanne demeura immobile, les yeux fixés sur tous ces trésors. Della comptait sur elle pour « jouer le jeu à fond ». Elle le jouerait à fond... A partir de maintenant et ce, jusqu'au retour d'oncle Ben, elle serait Della Benton. Elle balaierait tous les obstacles au fur et à mesure de leur apparition.

Enveloppée dans un peignoir, munie de la trousse de toilette soigneusement préparée par Della, elle se rendit dans la salle de bains. Là, elle savoura une douche rafraîchissante.

Elle se sentait déjà beaucoup mieux. Elle s'étendit sur le lit couvert d'une étoffe soyeuse. Quel luxe! Quel plaisir de pouvoir enfin se reposer après toutes ces heures passées à attendre... Attendre l'atterrissage à Miami, attendre l'arrivée de Della, attendre oncle Ben à l'aéroport... Elle était trop excitée pour se sentir fatiguée. Non... Elle n'était pas épuisée, elle était simplement ravie de s'étirer paresseusement sur ce matelas confortable.

Le décalage horaire eut pourtant raison d'elle. Elle se sentit vaguement hébétée, l'esprit vide, elle avait les paupières lourdes... Quelques minutes plus tard, elle sombrait dans un profond sommeil.

Suzanne se réveilla en sursaut : la nuit tombait. Elle avait rêvé. Elle plongeait dans les eaux vertes de la mer des Caraïbes... Plus loin, plus loin... Un sentiment de peur la saisit, un événement terrible allait se produire, ce n'était pas normal ! Elle se débattit farouchement pour remonter, se redresser, haletante, mais un énorme poids la maintenait en place.

Brusquement, elle comprit : dans l'obscurité, elle distinguait la silhouette d'un homme penché sur elle. Il avait posé les mains sur ses épaules, l'empêchant ainsi de se lever.

— Vous ne perdez pas temps. C'est de la provocation !

La voix de Gérard North, grave et méprisante, résonna à ses oreilles. Elle écarquilla les yeux, abasourdie, et tenta de s'asseoir.

— Lâchez-moi ! Je ne suis pas... Je n'ai.. balbutia-t-elle, confuse.

Le visage de Gérard était indéchiffrable dans la pénombre, mais elle n'apprécia guère le sourire ironique qu'elle crut discerner.

— Vous êtes pourtant dans ma chambre ! Sur mon lit !

A ces mots, elle se raidit. Surpris par sa réaction, il se dégagea légèrement. Suzanne en profita pour se propulser en avant, le repousser et courir... Ce rectangle noir, sur le mur... C'était une porte ! Elle devait à tout prix l'atteindre !

Elle l'atteignit... et se retrouva dans la salle de bains. Elle était piégée, prisonnière ! Dans sa hâte et son affolement, elle fit volte-face, se précipita de nouveau dans la chambre, trébucha sur le couvre-lit et s'effondra mollement sur la moquette.

Le plafonnier s'illumina. Elle cligna des yeux, éblouie. Sur le seuil, Gérard North, parfaitement maître de lui, l'observait. Elle se recroquevilla sur elle-même.

— Vous pouvez vous lever, je ne vais pas vous faire violence. Je croyais répondre à une invitation silencieuse.

Elle obéit en serrant plus fort la ceinture de son peignoir.

— Je... Je ne comprends pas. A quoi faites-vous allusion exactement ?

— Vous ne comprenez pas ? répéta-t-il d'un ton sec. Je vous suggère de vous habiller. Nous prendrons ensuite un verre ensemble et nous en discuterons. Pour le moment, je vous autorise à rester dans *ma* chambre, puisque vous vous y êtes installée.

Sur ces mots il sortit, en fermant la porte. Suzanne s'avança vers les valises ouvertes. Les mains tremblantes, elle chercha une tenue convenable.

Elle mit un certain temps à se maquiller : ses doigts tremblaient, tellement l'épisode l'avait bouleversée. En fait, si elle avait eu peur, elle avait en même temps éprouvé une étrange sensation de trouble... Petit à petit, elle parvint à se calmer. Peut-être valait-il mieux tout expliquer à Gérard North ce soir et prendre le premier avion pour Londres ?

Mais il y avait Della. Elle se devait de tenir sa promesse envers son amie...

Suzanne observa longuement son reflet dans la glace. Oui, elles se ressemblaient... Elles avaient les mêmes yeux noisette, immenses et rêveurs ; le même teint laiteux ; les mêmes pommettes, un peu saillantes et colorées d'une légère touche rosée ; la même qualité de cheveux ; seuls leurs mentons différaient, mais Suzanne n'en avait pas conscience. Le sien exprimait une certaine détermination, celui de Della trahissait sa faiblesse.

Suzanne serra les dents. C'était de la folie pure ! Jamais elle n'aurait dû accepter de participer à cette mascarade ! Malheureusement, il était trop tard à présent pour revenir en arrière. Elle devait tenir son rôle, au moins jusqu'au premier coup de téléphone de Della. Quant à ce Gérard North, elle lui démontrerait clairement qu'il ne l'intéressait en aucune façon !

Redressant les épaules, elle exhala un léger soupir avant de prendre le chemin du salon. Son hôte, visiblement fort détendu, sirotait un cocktail, allongé sur un divan. Il se leva immédiatement en la voyant arriver et se dirigea vers le bar chargé de bouteilles et de verres de toutes les formes.

— Que puis-je vous offrir ? s'enquit-il avec désinvolture.

Il s'adressait à elle comme s'ils se connaissaient depuis toujours... comme si elle était une habituée de la maison. Pourtant, tout à l'heure, s'il l'avait pu, il aurait probablement...

Elle chassa vivement cette pensée de son esprit. Elle voulait à tout prix oublier cet incident malencontreux. Sinon, il lui serait impossible de bavarder avec lui.

— Une boisson très fraîche et peu alcoolisée, je vous prie. Je vous laisse le soin de choisir à ma place.

Elle s'assit dans un fauteuil, le plus loin possible du canapé.

Gérard North lui versa un savant mélange de jus

de fruits et revint le poser sur la table basse devant elle tout en faisant tinter les glaçons.

— C'est une de mes inventions, expliqua-t-il. Vous apprécierez, j'espère.

Elle en but une gorgée, sous son regard scrutateur. De nouveau, une curieuse sensation de trouble envahit la jeune fille. Elle s'efforça vaillamment de l'ignorer.

— Vous êtes encore plus jolie que sur la photo, reprit-il enfin.

Elle jeta un coup d'œil autour d'elle.

— Je ne vois aucun portrait de moi dans cette pièce. Où l'avez-vous aperçu ?

— Dans la bibliothèque, chez vous à Londres. On ne peut pas le manquer : la photo est superbe, et très bien encadrée.

Il eut un sourire désarmant. Un frémissement la parcourut... Comment gagner du temps ? Par où commencer ? Comment esquiver les questions délicates ?

— Ah... Je... J'ignorais que vous étiez venu à la maison. J'étais sans doute absente ce jour-là.

Il opina d'un signe de tête.

— C'est exact, je me suis renseigné. Je n'ai malheureusement pas pu attendre votre retour, j'avais un avion à prendre. Je m'apprêtais à rentrer ici, et j'avais dû m'arrêter chez votre père pour lui apporter un dossier important. Nous sommes tous deux tombés d'accord pour vous trouver ravissante.

Il observait attentivement son visage, comme pour l'encourager à avouer un secret qu'ils partageaient tous deux.

Mais Della Benton n'avait jamais été présentée à cet homme ! Elle l'avait bien précisé !

Suzanne baissa les paupières.

— Merci, vous êtes gentil, répondit-elle, modestement.

— Il était grand temps que votre père vous envoie ici.

Suzanne dégusta son cocktail en croisant les jambes avec élégance.

— C'est possible, admit-elle d'une voix lointaine. Je ne peux rien affirmer.

Gérard North posa son verre et la détailla sans vergogne, avec lenteur et insolence. Son regard exprimait un grand dédain. Malgré elle, Suzanne sentit ses joues s'enflammer.

— Vous ne savez pas pourquoi votre père a tenu à vous offrir ce voyage ? Vous voulez me faire croire cela ?

— Mais si je sais ! Je viens de passer quelques semaines de vacances chez mon parrain.

Un sourire cruel parut sur les lèvres de son interlocuteur.

— C'est tout ? Vous en êtes certaine ? N'y a-t-il aucune autre raison ?

Elle en avait assez de ces sous-entendus mystérieux. Della était peut-être timide et vulnérable. Pas Suzanne French.

— Ecoutez-moi bien, monsieur North, répliqua-t-elle sèchement. J'ignore de quoi vous parlez, je n'en ai pas la moindre idée. Vous semblez suggérer un vague projet échafaudé par... par J. B.

J. B... Jamais elle ne pourrait dire « mon père » ! Il acquiesça.

— C'est donc un projet échafaudé par J. B., comme vous dites, déclara-t-il, le front maintenant barré d'un pli perplexe. Est-ce la vérité ? Votre père... J. B... ne vous a absolument pas parlé de moi ?

C'était une question-piège. Suzanne secoua la tête.

— J'ai sans doute entendu votre nom à une ou

deux reprises. Il parle souvent de ses collègues et relations d'affaires.

Il y eut un silence interminable. Gérard North ne la quittait pas des yeux. A l'instant même où la jeune fille perdait toute maîtrise au point de vouloir crier, il prit la parole.

— Très bien, jouons le jeu selon vos propres règles. Ce sera encore plus drôle... Bien, ajouta-t-il en se levant pour remplir son verre au bar... Discutons sérieusement, à présent. Vous avez l'intention de rester, je suppose ?

— Bien entendu ! Je souhaite voir oncle Ben, dès qu'il pourra rentrer chez lui. Il habite ici, n'est-ce pas ?

— Si l'on veut, oui. En réalité, c'est moi qui loue cet appartement, mais Ben et moi avons décidé de le partager en attendant que sa nouvelle villa soit construite et aménagée. Elle est à Caïman Kay, de l'autre côté de cette île. Ben séjournait dans un grand hôtel depuis plusieurs mois, mais il en a eu assez... Votre parrain étant absent, vous préférerez sans doute vous installer à l'hôtel... ?

A l'hôtel ? Certainement pas ! Elle n'avait pas de quoi s'offrir une chambre dans un de ces établissements de luxe au bord des plages ! Della lui avait donné de l'argent, mais pas suffisamment pour une telle dépense !

— Je ne crois pas que...

— Si c'est le prix qui vous inquiète, aucun problème : je peux facilement vous ouvrir un compte à ma banque.

— Non, non ! intervint-elle avec empressement.

Incarner le personnage de Della Benton était déjà plus ou moins malhonnête. Elle refusait d'imiter sa signature sur des papiers officiels !

— Non, reprit-elle... Je... Je serai mal à l'aise, toute seule à l'hôtel.

Une lueur triomphante brilla dans les yeux de Gérard North. Il ébaucha un sourire satisfait.

— Ah ! Vous préférez rester ici… seule avec moi.

Elle haussa les épaules, s'efforçant de dissimuler sa confusion.

— Disons plutôt : j'aime mieux rester chez oncle Ben. Et puisque c'est ici qu'il loge en ce moment… Les portes des chambres sont munies de verrous, je suppose ? Je ne veux pas de malentendus entre nous, monsieur North. Je tiens à le préciser.

A sa plus grande surprise, il éclata d'un rire bruyant.

— Della Benton, vous m'intriguez décidément beaucoup ! Je sens que nous allons nous entendre à merveille.

Elle soutint son regard sans ciller.

— Quant à moi, j'en doute. A présent, voulez-vous me donner des nouvelles de mon oncle ? Où est-il ? De quoi souffre-t-il ? Est-ce grave ? Quand pourra-t-il rentrer, à votre avis ?

— Il a été transporté d'urgence dans un grand hôpital de Houston, au Texas. Apparemment, ils sont parfaitement équipés pour soigner son mal. Si j'ai bien compris, il s'agit du foie, et c'est assez inquiétant. Je téléphonerai plus tard ce soir pour avoir des précisions sur son état. Quant à votre dernière question, bien sûr, je ne peux pas vous répondre. Il m'est impossible de prévoir la date de son retour.

— Tout ceci est fort regrettable. Je ne peux rien faire, malheureusement.

— En effet. En tout cas, pas pour le moment.

— Ou alors… Je pourrais lui envoyer un télégramme, des fleurs, simplement pour lui rappeler combien je pense à lui.

— C'est une bonne idée, oui. Vous pourrez vous rendre à George Town demain et vous en occuper personnellement... Vous aimez beaucoup Ben, n'est-ce pas ?

— Il est adorable ! assura-t-elle en se rappelant les mots de Della.

— Oui. Cependant, ce terme ne lui convient pas tout à fait. Il était terriblement inquiet à l'idée de ne pas être là pour vous accueillir. Je lui ai promis de vous prendre en charge... Bien entendu, il ne connaissait pas le fond de l'histoire.

Suzanne écarquilla les yeux, candide.

— Franchement, monsieur North, vous m'irritez, avec vos énigmes. De quoi parlez-vous exactement ?

Il plissa les paupières.

— Vous êtes une excellente comédienne, Miss Della Benton.

Les doutes et les craintes de la jeune fille cédèrent à la colère.

— Je n'y comprends rien ! Et je vous prie de vous adresser à moi sur un ton moins blessant.

— Cessez de feindre l'ignorance, mon enfant. Vous êtes au courant. Vous savez parfaitement pourquoi votre père vous a proposé le séjour.

— Oui, je vous l'ai dit tout à l'heure : il voulait m'offrir des vacances chez mon parrain.

Elle se redressa, éprouvant soudain le besoin de bouger, de marcher. Mais où aller ?

— Très bien, puisque vous insistez... Vous auriez sans doute préféré davantage de subtilité de ma part, tant pis pour vous. M. Benton ne vous a pas envoyée ici uniquement pour rendre visite à Ben Caldicott. Il savait surtout que je serais là. Son intention était de... de nous réunir, vous et moi. C'est assez clair, je présume ?

— Oh, oui ! Et pourquoi ?

Il soupira, exaspéré.

— Vous êtes décidément avide de renseignements, Miss Benton. Je suis en possession de certaines informations concernant la manière dont votre père dirige ses affaires. Un homme comme lui demeure toujours attentif à son image, vous vous en doutez. Une ou deux interventions de ma part risqueraient de ternir à jamais sa réputation.

Suzanne ne put réprimer un petit cri. La situation se dégradait de minute en minute ! Elle commençait à rassembler toutes les pièces du puzzle, et le résultat l'effrayait !

— En d'autres termes, J. B. a commis une fraude ? C'est donc du chantage de votre part ? En guise de rançon, il a été contraint de m'offrir un séjour aux Antilles et...

Il leva les yeux au ciel, furieux.

— Ah, les femmes ! Vous avez le don de tout exagérer ! Je ne crois ni au chantage ni aux rançons !

— Mais alors...

— Tout d'abord, votre père n'est pas un malhonnête. Je ne l'ai jamais considéré comme tel. Il est très habile, c'est tout... J'ai aperçu votre photo dans la bibliothèque, et la conversation a dérivé sur vous. Nous n'avons échangé aucune promesse, mais j'ai eu l'impression qu'il cherchait à m'amadouer.

— Vous vous trompez certainement. Jamais J. B. n'aurait recours à de tels subterfuges pour se protéger !

Il scruta longuement son visage.

— Vous tenez vraiment à me faire croire que vous n'étiez au courant de rien ? Votre père ne vous a pas invitée à... à déployer vos charmes devant moi !

Que lui avait raconté Della ? Elle avait vaguement mentionné un homme, considéré par son père comme un célibataire très riche...

— Bien sûr que non ! trancha-t-elle.

Leurs regards s'affrontèrent. A cet instant, la sonnerie du téléphone retentit. Gérard North décrocha et répondit d'une voix laconique.

— Bonsoir. Gérard North à l'appareil... Oui...
Oui, oui, elle est bien arrivée, annonça-t-il sans
quitter Suzanne des yeux... En début d'après-midi.
Je m'occupe d'elle, nous nous entendons à merveille. Non, je n'ai aucune nouvelle de Ben. J'appellerai l'hôpital un peu plus tard. Vous voulez dire un
mot à Della, je suppose ? Ne quittez pas, je vous la
passe.

Il tendit le récepteur à Suzanne, l'air dédaigneux.
— Votre père.

3

Suzanne sentit son sang se glacer. Elle accepta l'appareil comme on saisirait une braise incandescente.

— Allô?

— Bonsoir, Della. As-tu fait bon voyage? Tu n'as pas eu de problèmes pour arriver chez Ben, si j'ai bien compris. Tu es au courant de sa maladie, n'est-ce pas?

Ainsi, il avait appris la nouvelle, lui aussi. Savait-il avant d'accompagner sa fille à l'aéroport que Ben Caldicott ne serait pas là pour la rencontrer? Avait-il volontairement omis de le lui dire?

— Oui, oui...

— Parle plus fort, Della, ne marmonne pas. Je t'entends très mal.

— J'ai dit oui. C'est tout à fait regrettable.

Sa voix ne la trahissait-elle pas?

— Enfin, il sera bien soigné dans cet hôpital. Bien entendu, tu restes là-bas jusqu'à son retour. Mon ami Gérard m'a promis de te distraire. Vous avez sympathisé, j'espère?

— Oui, oui, affirma-t-elle d'un ton chevrotant, consciente surtout de la troublante présence de l'homme à ses côtés.

John Benton s'éclaircit la gorge.

— Sois gentille avec lui, conseilla-t-il, persuasif. Il peut me rendre de grands services dans mes affaires. Je ne tiens pas à m'en faire un ennemi.

Elle ferma les yeux. Ainsi, Gérard North lui avait avoué la vérité. Pauvre Della ! Suzanne avait la nausée à la pensée de son malheur. Qui voudrait d'un père comme John Benton ?

— Tu m'entends, Della ? Pourquoi ne me réponds-tu pas ? Je t'ai parlé de North avant ton départ, tu t'en souviens ?

Elle ravala sa salive.

— Euh, oui.

— Tu ne pleures pas encore cet autre garçon, tout de même ? Cela ne te servira à rien, je te préviens, tu peux l'oublier et tout de suite ! Je ne veux plus entendre prononcer son nom !

Suzanne demeura silencieuse.

— ... Della ? Tu as compris ? *Je ne veux plus entendre prononcer son nom !*

Il criait presque, à présent. Suzanne imaginait son visage livide de rage, qu'elle avait si souvent vu au bureau ces dernières semaines.

— J'ai compris.

— Tâche de te le rappeler... Profite pleinement de ton séjour, ma chérie, reprit-il plus doucement, après une courte pause. Je pars pour l'Allemagne demain et je risque d'être débordé de travail pendant une bonne semaine. Je t'appellerai dès mon retour. Sois sage !... Mais pas trop, ajouta-t-il avec un petit rire cynique.

— Au revoir.

Suzanne raccrocha vivement, puis, le dos très raide regagna sa place. Elle était dans un état de nervosité extrême.

Gérard North avait allumé un cigare. Il la scruta à travers un nuage de fumée blanchâtre.

— Alors... Vous persistez toujours dans vos

déclarations, Miss Innocence? Vous niez encore? Allons, admettez-le une fois pour toutes, vous connaissiez les réelles motivations de votre père.

Elle le fusilla du regard.

— Quand J. B. a-t-il su qu'oncle Ben était souffrant? Vous l'avez prévenu?

Il hocha la tête.

— Je l'ai joint hier à son bureau, immédiatement après l'incident. Il devait être dix heures du matin ici, c'est-à-dire le milieu de l'après-midi à Londres.

— Ainsi... Ainsi il savait que mon parrain ne pourrait pas m'accueillir lors de mon arrivée. Il ne m'en a pas parlé et m'a laissée venir.

Il haussa un sourcil.

— Cela ne m'étonne guère. L'absence de Ben facilite grandement les choses : personne ne pourra nous surveiller.

— Ecoutez, soupira Suzanne, désespérée, mettons tout cela au clair dès maintenant. Croyez-moi ou non, cela m'est indifférent, je vous assure que je n'étais au courant de rien. J. B. ne m'a jamais fait part de ses projets.

— Projets? Oh, non, mon enfant, épargnez-moi ces déductions fantaisistes. Je ne suis pas un de ces seigneurs impitoyables du temps jadis qui menaçaient leurs métayers. C'est tout à fait démodé, de nos jours! Je ne l'ai pas poussé dans ses retranchements au point qu'il accepte de me donner sa ravissante fille en échange de mon silence!... Je n'ai pas besoin de J. B. pour séduire une femme quand je le souhaite, ajouta-t-il avec un sourire. Les sous-entendus de votre père m'ont amusé, c'est tout. Nous sommes restés très... très flous.

— Dans ce cas, je vous conseille de continuer dans cette voie.

Elle avait promis à Della de la remplacer provisoirement, mais elle ne se soumettrait en aucun cas aux désirs de cet arrogant personnage sous prétexte de sortir John Benton d'une situation délicate ! Son ex-patron était très habile : elle avait refusé une fois de jouer son jeu, elle n'allait pas se raviser aujourd'hui !

Gérard North se leva, très désinvolte.

— Si nous allions dîner ? Je meurs de faim après une longue journée de travail. Je connais un restaurant très convenable dans le quartier. Un autre soir, je vous montrerai des endroits plus exotiques... Et je vous en prie, appelez-moi Gérard, comme tous mes amis.

— Je ne suis pas certaine de vouloir en faire partie, répliqua-t-elle.

Il haussa les épaules, exaspéré.

— Pour l'amour du ciel, Della Benton, calmez-vous ! Suivez-moi. Je suis affamé !

Il lui prit les mains pour la forcer à se relever, la maintenant contre lui un bref instant avant de la relâcher. Suzanne préféra contenir son irritation de se voir ainsi traitée. Pourquoi perdre toute son énergie tout de suite ? Elle avait besoin de récupérer ses forces pour la bataille qui s'annonçait...

Dehors, l'air était doux et parfumé. Quelques lumières scintillaient çà et là entre les bosquets. Au loin, le bruissement régulier des vagues constituait la touche finale à ce décor de rêve.

Suzanne marchait aux côtés de Gérard North. Elle pensait à Della... Cette dernière devait se sentir très à l'aise dans ce paradis pour milliardaires. Suzanne, elle, n'osait pas s'extasier : elle risquait d'éveiller les soupçons de son compagnon.

D'une main, elle balaya l'espace.

— Tout ceci fait partie de la même propriété ?

— Oui. Il en existe d'innombrables comme celle-ci le long de la Plage des Sept Miles. Les îles Caïmans sont l'Eden des agents touristiques.

— La plage mesure vraiment sept miles de long ?

— Oui. Ce morceau nous appartient. Il y a un court de tennis et une piscine. C'est tout ce que vous trouverez comme distraction aux Caïmans, ma chère. Pas de Casino, pas de télévision, pas de visites de monuments célèbres, pas de discothèques. Une jeune fille comme vous, si sophistiquée, s'y ennuie très vite.

— Moi ? Sophistiquée ? Je ne me considère pas comme telle. D'ailleurs, il y a la mer.

— Ah, oui, j'oubliais la mer !

Ils s'approchèrent d'un immeuble discrètement éclairé.

— Voici notre club, expliqua Gérard en l'entraînant vers le hall d'entrée. Je vais vous présenter à Owen Richards, le directeur.

Un homme au teint mat, vêtu d'une veste blanche, vint à leur rencontre.

— Bonsoir, monsieur North. Quel plaisir de vous voir. Vous dînez avec nous, ce soir ?

— Bonsoir, Owen. Oui, nous venons savourer quelques-unes de vos spécialités. Voici la nièce de Ben Caldicott.

— Très heureux, Miss…

— Benton, précisa-t-elle.

Suzanne l'avait dit avec le plus grand naturel. Elle éprouvait de moins en moins de difficultés à interpréter son personnage.

— Miss Benton. Nous sommes tous affligés d'apprendre le malheur de M. Caldicott. Comment va-t-il ?

— Nous n'en savons rien encore. Nous téléphonerons à l'hôpital plus tard dans la soirée.

— Les nouvelles seront rassurantes, j'espère… Prendrez-vous un apéritif ?

— Non, merci Owen. Nous sommes assez pressés. Miss Benton a eu un long voyage, elle est épuisée. Que pouvez-vous nous servir très rapidement ?

— Des steaks ? Ou du homard ?

— Que préférez-vous, Della ?

— Oh, du homard !

Elle adressa son plus radieux sourire au directeur de l'établissement.

— Moi aussi, déclara Gérard. Un avocat pour commencer ?

Le visage d'Owen Richards s'illumina.

— Bien sûr, monsieur North. Je vous demande cinq minutes. Je vous envoie Martine avec la carte des vins.

Gérard décocha une grimace ironique à sa compagne.

— Bravo ! Vous vous servez souvent de votre sourire, j'imagine.

— Vous êtes trop soupçonneux de nature, monsieur North.

— Gérard, corrigea-t-il en la prenant par le bras pour la guider vers le patio... Vous vous méprenez, Della. Je suis simplement un peu méfiant lorsque je me trouve en face d'une ravissante jeune femme.

Elle s'assit avec soulagement à la table désignée par l'un des serveurs et examina l'environnement. Quel paradis ! Elle avait l'impression de poser pour une photo destinée à allécher de futurs touristes dans une brochure de luxe !

— C'est magnifique ! s'exclama-t-elle.

Gérard scruta son visage, perplexe, puis haussa les sourcils.

— Ce n'est pas nouveau pour vous, je crois ?

— Et alors ? J'ai tout de même le droit d'exprimer mon admiration !

Leur hors-d'œuvre leur fut apporté, Suzanne se délectait. A Londres, elle n'avait jamais eu de quoi s'offrir des avocats ! Quant au homard ! Il était succulent !

— Tout va bien ? s'enquit-il en lui versant du vin.

— Je suis ravie ! déclara-t-elle, sincère. Je ne pensais pas avoir si faim !

— Ce lieu n'a pas une très grande réputation, mais Owen a fait venir un cuisinier de la Martinique qui se montre parfois très inspiré. George Town est rempli de restaurants de toutes origines... chinois, espagnols, italiens. Un soir, je vous emmènerai au *Holiday Inn* : vous verrez, c'est un paradis pour les gourmets.

— Vous n'êtes pas obligé de vous occuper de moi, vous savez.

Gérard, amusé, rétorqua :

— Voyons, Della, je le ferai avec plaisir ! D'ailleurs, votre parrain m'a expressément chargé de vous distraire pendant son absence. Votre père vous a peut-être donné des ordres, mais j'en ai reçu, moi aussi. Quelle coïncidence, n'est-ce pas ? Il serait dommage de rester obstinément sur nos positions, vous ne croyez pas ?

— Oh ! Vous êtes odieux !

Il s'esclaffa en faisant tinter le bord de son verre contre celui de la jeune fille.

— A votre santé, Della... Vous adorez les intrigues, non ?

— Monsieur North, permettez-moi de vous dire que vous vous trompez.

— Franchement, je ne le crois pas. Mais, je le répète, nous jouerons le jeu selon vos règles. C'est beaucoup plus drôle ainsi.

Les yeux de Suzanne lancèrent des éclairs.

— Parfait ! Comme vous voudrez ! Après tout, je ne peux pas vous empêcher de me soupçonner des pires intentions.

52

— C'est exact... A présent, voulez-vous un dessert ? Les sorbets à la noix de coco sont excellents.

— Volontiers, acquiesça-t-elle, du bout des lèvres.

— Vous pourrez vous dorer au soleil tant que vous voudrez. Seulement, surtout au début, suivez-mon conseil : ne commettez pas d'imprudence. Je serais désolé de vous voir couverte de cloques.

— Je m'en souviendrai. Cependant, c'est la mer qui m'attire le plus. Cette île est entourée de récifs de coraux, si je ne m'abuse.

Il la dévisagea, l'air surpris.

— Vous connaissez très peu votre géographie...

Le cœur de Suzanne bondit. La soupçonnait-il de ne pas être la véritable Della Benton ? La fille d'un milliardaire devait être une habituée des îles tropicales. S'il la pressait de questions, elle se trahirait. Et si, par malheur, elle avouait tout maintenant, Della et Vic en pâtiraient. Car Gérard North était un homme intransigeant : jamais il n'éprouverait des sentiments tels que la pitié ou la compassion.

— Cette région du monde m'est inconnue, répliqua-t-elle durement. La plupart des gens ont entendu parler des récifs entourant certaines îles de la mer des Caraïbes.

Gérard North semblait se désintéresser de la conversation. Il saluait une personne dans la salle avec un sourire charmeur. Suzanne vit son regard s'adoucir. Quel changement ! Il en devenait dangereusement séduisant. Puis, il tourna de nouveau la tête vers elle.

— Vous me parliez des coraux. Ils sont particulièrement beaux autour des Caïmans... c'est en fait l'attraction principale pour les touristes. Si vous désirez avoir un aperçu de ces merveilles sous-marines, il existe des bateaux dont le fond est en verre. Ils partent toutes les heures.

Elle ne prit pas garde à son ton paternaliste.

— Je ne pensais pas à ce genre d'excursion mais plutôt à la plongée. Je pourrai sans doute louer un équipement complet ?

— Oui, les boutiques ne manquent pas... Avez-vous de l'expérience ? s'enquit-il, curieux.

Suzanne aurait été fière de brandir devant lui son certificat, mais c'eût été un geste futile et enfantin.

— J'ai pris des cours il y a quelques années, quand je séjournais dans le Devon.

— Ah ! Un de mes amis dirige une école de plongée. Si vous le voulez, je vous le présenterai. C'est un expert en la matière.

— Avec plaisir !

— En aucun cas vous ne devez plonger toute seule, même munie d'un simple masque. Vous comprenez cela ?

— Naturellement !

Pour qui la prenait-il ? Pour une idiote ? Une irresponsable ? Probablement... Selon Suzanne, Gérard North était de ces hommes qui avaient une piètre opinion des femmes.

Il pouvait penser ce qu'il voulait d'elle, après tout, cela n'avait aucune importance ! L'essentiel était de savoir qu'il la conduirait chez un plongeur professionnel.

Ils avaient bu leur café et reprenaient leur chemin en sens inverse. Le paysage baignait dans la lueur argentée du clair de lune. Tout était paisible, silencieux.

De nouveau, Suzanne se laissa gagner par son enthousiasme. Elle vivait un rêve, un conte de fées ! Elle se promenait dans un décor paradisiaque, aux côtés d'un homme dont elle ne pouvait ignorer la beauté physique, en dépit de son attitude arrogante.

Il se rapprocha d'elle et glissa un bras possessif sous son coude. Au contact de ses doigts sur sa peau nue, Suzanne tressaillit imperceptiblement. Le soleil n'était pas l'unique élément redoutable dans cette région ! Il lui faudrait demeurer sur ses gardes...

Ils étaient presque arrivés devant l'immeuble. Suzanne reconnut la porte peinte en bleue, menant à l'appartement de son compagnon.

— Que souhaitez-vous, à présent ? chuchota-t-il à son oreille. Voulez-vous rentrer, ou bien préférez...

Il s'immobilisa brusquement. Deux silhouettes, celles d'un homme et d'une femme, avaient surgi à la porte de l'appartement attenant.

— Gérard, chéri ! s'exclama l'inconnue d'une voix rauque. Nous sommes revenus. Es-tu surpris ?

Il ne relâcha pas Suzanne.

— Plutôt, oui. Que s'est-il passé ?

— Nous n'avons pas pu obtenir la signature finale pour le contrat de vente, intervint l'homme, vêtu d'un peignoir en tissu éponge. Nous avons donc décidé de revenir séjourner ici quelque temps, en attendant de trouver un autre acheteur... Tu vas bien, Gérard ? ajouta-t-il, en détaillant Suzanne d'un œil admiratif.

La jeune femme l'observait aussi. Son visage était à peine discernable dans la pénombre.

— Quelques complications, répondit Gérard. Ben est tombé malade hier ; il est à l'hôpital, aux Etats-Unis. Voici Della Benton, sa nièce. Elle avait prévu ses vacances chez son oncle avant cet incident malencontreux. Della, je vous présente Fanny Lord et son frère, Sébastien... nos voisins.

— Oh, ce pauvre Ben, quel dommage ! s'exclama Fanny par-dessus le marmonnement inaudible de Sébastien... Et vous, ma pauvre Della ! Vous avez fait ce long trajet pour rien ! C'est trop idiot ! Vous allez vous ennuyer à mourir !

— Je ne le crois pas, assura-t-elle avec calme. C'est la première fois que je viens, je trouverai sans doute d'innombrables distractions. D'ailleurs, l'appartement est splendide.

Cette jeune femme était fort déplaisante... Après un court silence, Fanny reprit la parole.

— Vous logez ici, chez Gérard?

— Chez oncle Ben, mon parrain, oui.

— Pourquoi Della n'aurait-elle pas le droit de séjourner ici, Fanny? s'enquit Gérard d'un ton tranchant.

— Voyons, chéri, je ne lui reproche rien! affirma cette dernière en posant une main sur le bras de Gérard. Je pensais simplement...

— Tu pensais quoi?

— Oh... Je ne sais pas. Elle serait probablement plus à l'aise à l'hôtel, puisque ce cher Ben n'est plus là pour s'occuper d'elle.

Gérard attira Suzanne plus près de lui.

— Ne t'inquiète pas, je saurai le remplacer. D'ailleurs, elle a choisi d'elle-même de partager cet appartement avec moi. N'est-ce pas, Della?

Suzanne se raidit; elle suffoquait. « Je pourrais l'étrangler! » pensa-t-elle, rageuse. Il aurait pu dire : « elle a choisi de partager mon lit »... l'effet eût été le même!

Fanny eut un brusque mouvement de tête. Au clair de lune son visage parut livide de rage. Elle éclata d'un rire métallique.

— Dieu merci, ce cher Ben est absent. Il n'approuverait guère.

— Voyons, Fanny, à quoi fais-tu allusion? Je ne comprends pas où tu veux en venir! proclama Gérard, avec innocence. Tu me connais, pourtant...

— Oui, mon chéri, riposta-t-elle d'un ton aigre-doux. Je te connais trop bien.

Sébastien s'agitait, impatient.

— As-tu fini de bavarder, petite sœur? Si nous allions nous baigner comme prévu? Nous nous apprêtions à descendre sur la plage, Gérard. Vous nous accompagnez?

— Non, merci, Sébastien, pas ce soir. Della est épuisée. Elle a quitté Londres tôt ce matin et voyagé toute la journée... Amusez-vous bien, tous les deux! A bientôt!

Sur ces mots, il entraîna Suzanne vers la porte d'entrée de son appartement.

Une chaleur étouffante régnait dans le salon. Gérard alluma les lampes, baissa le store à lattes blanches, puis brancha l'énorme ventilateur électrique accroché au plafond.

— Je préfère cet engin aux machines modernes, décréta-t-il. Dès la tombée de la nuit, il est indispensable de fermer les fenêtres, à cause des insectes. Ici, il en existe une espèce particulièrement redoutable, que nous surnommons les « invisibles ». Munissez-vous d'insecticide, vous en aurez besoin.

Suzanne était restée au seuil de la pièce, ressassant sa colère. Le bavardage insignifiant de Gérard North ne la calmait en rien. Il se dirigea d'un pas décidé vers le bar et se versa un alcool.

— Puis-je vous offrir un digestif? s'enquit-il par-dessus son épaule.

— Non, merci.

Il se retourna, les sourcils froncés.

— Que se passe-t-il? Vous me boudez?

— Vous savez très bien pourquoi.

— Je vous donne ma parole d'honneur, je n'en ai pas la moindre idée, affirma-t-il en venant vers elle, un verre à la main.

Elle prit une courte inspiration avant de lancer:

— Vous vous êtes comporté d'une façon inadmissible, tout à l'heure!

— Je suis désolé, je ne vous suis pas. Soyez plus explicite.

Quel monstre ! Il se moquait d'elle ! Il s'amusait à ses dépens !

— Ne feignez pas l'innocence, gronda-t-elle. Vous avez laissé croire à ces gens que nous étions... que nous étions...

Elle n'arrivait pas à prononcer le mot. Il sourit.

— Amants ?

Les joues brûlantes, elle passa devant lui pour aller se camper devant le bureau.

— Oui, c'est cela, mais vous pourriez employer des termes moins crus.

— Je suis désolé, mais je n'en connais pas d'autres.

— N'en parlons plus. Je n'ai guère l'habitude d'aborder ce genre de sujets avec des inconnus.

Suzanne se ridiculisait : elle en avait conscience et s'en voulait. Gérard North côtoyait certainement des femmes moins farouches. Il lui jeta un coup d'œil étonné.

— Pourquoi vous inquiéter de l'opinion de Fanny et de Sébastien ? Ce qui se passe... ou ne se passe pas... entre nous ne les concerne en aucune façon.

Suzanne se détourna vivement en se mordant la lèvre. Elle se sentait très seule, tout d'un coup, prisonnière d'un univers auquel elle n'appartenait pas.

— Vous ne pouvez pas comprendre, soupira-t-elle, le regard voilé de larmes.

Il ne lui répondit pas tout de suite, mais retraversa la pièce dans l'autre sens.

— Je vous prépare quelque chose. Vous êtes lasse, cela vous aidera à trouver le sommeil.

Pour la première fois depuis leur rencontre, il s'adressait à elle d'un ton aimable ! Elle en fut bouleversée. Elle s'assit en acceptant la boisson qu'il lui tendait.

Elle avala une gorgée du liquide, tout en rassemblant ses forces et son courage. Le moment était venu de mettre les choses au point. Gérard s'était installé dans un fauteuil en face d'elle. Elle leva les yeux vers lui.

— Ecoutez... Nous ne pouvons pas continuer ainsi. Vous vous méprenez sur mon compte depuis mon arrivée.

— Ah, oui ? Vous croyez ? Dans quel sens ?

Apparemment, il n'était pas prêt à la ménager. Cependant, elle poursuivit avec détermination.

— Vous ne m'avez pas caché que, pour diverses raisons, vous vous attendiez à pouvoir... me séduire.

Il plissa les yeux.

— Je vous ai pourtant trouvée presque nue dans *ma* chambre cet après-midi.

— C'était un malentendu ! Combien de fois devrai-je vous le répéter ?

— Ma chère enfant, vous ne pouvez pas vous imaginer combien il m'a fallu d'efforts pour résister à la tentation...

— Je vous en supplie, taisez-vous ! intervint-elle les joues écarlates.

— Très bien, laissons cela de côté pour l'instant. Où vouliez-vous en venir, exactement ?

— J'essaie de vous faire comprendre ceci : quoi que J. B. ait pu sous-entendre, je suis venue rendre visite à oncle Ben et profiter d'un séjour au soleil. Je refuse absolument de jouer le jeu de J.B. Il m'avait en effet parlé de vous, mais je n'y ai pas pris garde. Je pensais qu'il voulait surtout... euh... m'aider à oublier.

— Ah ! Oublier l'autre, n'est-ce pas ? Celui dont J. B. ne veut pas entendre prononcer le nom ?

Elle haussa les épaules.

— Puisque vous savez déjà tout...

— Vous l'aimez ?

Il posa son verre sur la table basse, se pencha en

avant et pressa le bras de la jeune fille comme pour la réconforter. A ce contact, son cœur bondit. Le visage de Gérard était tout près du sien, elle sentait le souffle tiède de son haleine sur sa joue.

Suzanne soutint son regard sans ciller. Elle devenait folle! Elle avait envie de se rapprocher de lui, de se blottir dans ses bras, d'entrouvrir les lèvres...

— Vous l'aimez, Della?

— Oui, murmura-t-elle en s'éloignant légèrement.

Il hocha la tête en souriant.

— Nous savons donc où nous en sommes. Cependant, ce garçon n'est pas ici avec vous. Si jamais il surgissait inopinément, je saurais prendre la situation en main. Vous êtes prévenue.

— Quant à moi, je vous avertis tout de suite que les aventures sans lendemain ne m'intéressent pas.

— Ah non? Nous verrons bien...

Toujours souriant, il se leva, ramassa les verres et les porta à la cuisine.

— J'ai une femme de ménage, elle lavera tout cela demain matin. Adèle est toujours prête à rendre service, mais elle est distraite.

Il réapparut sur le seuil.

— ... C'est probablement la raison pour laquelle vous vous êtes trompée de pièce tout à l'heure. Elle a dû vouloir tout ranger... trop ranger. Suivez-moi, nous allons remédier à ce problème.

Suzanne lui emboîta le pas. Ensemble, ils montèrent à l'étage et pénétrèrent dans la pièce où elle avait installé ses valises. Sur la commode, elle avait étalé tous les flacons de Della. Le couvre-lit en satin était encore légèrement froissé. Suzanne s'efforça d'adopter un ton neutre.

— Si vous voulez bien me montrer ma chambre, j'y transporterai toutes mes affaires. Pouvons-nous téléphoner à l'hôpital ? J'aimerais avoir des nouvelles d'oncle Ben avant de me coucher.

Gérard déposa ses bagages dans la pièce attenante et consulta brièvement sa montre.

— Ils m'ont dit d'appeler après vingt et une heures trente. Le médecin chargé de son cas devait venir exprès de Fort Worth. C'est un éminent spécialiste, paraît-il. Avec lui, Ben n'a rien à craindre, il sera bien soigné. Il est à peine l'heure, mais je vais essayer de les joindre tout de même.

Il s'assit au bord du lit et composa le numéro sur l'appareil posé sur la table de chevet. Suzanne se tenait debout à côté de lui, mais à une distance respectable. Gérard obtint sa communication assez rapidement ; la conversation fut vague et laconique. Il raccrocha enfin en haussant les épaules.

— Ils n'ont rien pu me préciser. Le spécialiste n'est pas encore arrivé, le diagnostic ne sera donc pas établi avant demain. Il ne nous reste plus qu'à attendre.

— Je suis triste de le savoir tout seul là-bas.

Un souvenir l'assaillit. Son père avait été transporté d'urgence à l'hôpital après l'accident. Il avait survécu deux longues journées, mais Suzanne ne l'avait pas quitté un instant. Son regard se voila. Elle ne put remarquer l'air songeur de Gérard.

— Oui... Enfin, il est sûrement très bien dorloté par le personnel. Vous irez demain à George Town chez le fleuriste.

— Bien sûr... Comment puis-je m'y rendre ?

— Le service des taxis est excellent. Vous trouverez le numéro de téléphone à côté de l'appareil, sur la console de l'entrée. Ou bien préférez-vous louer un véhicule pendant la durée de votre séjour ?

— Oh, non, non ! J'aime mieux circuler en taxi, assura-t-elle avec empressement.

Si elle avouait n'avoir jamais appris à conduire,

elle éveillerait les soupçons de Gérard ! Ils n'avaient jamais eu de quoi s'acheter une voiture, son père avait toujours utilisé un vélo comme moyen de transport.

— Comme vous voudrez. J'effectuerai souvent l'aller et retour, je vous emmènerai de temps en temps.

— Puis-je avoir les coordonnées de la clinique, s'il vous plaît ?

Il les lui gribouilla sur le bloc-notes de la table de nuit.

Elle étouffa un bâillement.

— Merci... Je suis terriblement lasse, je vais me coucher... Je suis désolée d'avoir commis l'erreur de m'installer dans votre chambre tout à l'heure.

Les yeux gris de Gérard North brillèrent d'une lueur étrange.

— Je vous pardonne.

Leurs regards se croisèrent. Malgré elle, Suzanne se sentit hypnotisée. Elle respirait à peine. Il contemplait ses lèvres, sans mot dire. Tout autour d'eux avait cessé d'exister : ils étaient l'un en face de l'autre, immobiles, attentifs au message silencieux qui passait entre eux.

— Bonne nuit, Della, chuchota-t-il enfin en se dirigeant vers la porte... C'est dommage pour l'autre jeune homme, mais nous surmonterons sans difficultés cet obstacle... Votre porte est munie d'un verrou. Je vous conseille de le pousser. Je ne suis qu'un homme, et vous, une femme diablement attirante.

Il tourna les talons et sortit.

4

Suzanne se réveilla le lendemain matin au son sifflant d'un aspirateur à l'étage en dessous. Elle fixa le plafond, rassemblant ses esprits.

La journée de la veille avait été riche en rebondissements. Elle ne pouvait se les rappeler tous. Seul, un facteur se détachait du reste : elle avait rencontré Gérard North. Suzanne l'avait tour à tour trouvé détestable, odieux, haïssable... pour découvrir finalement qu'elle était amoureuse de lui.

Suzanne ne s'était jamais considérée comme une jeune fille impulsive. Pourtant, depuis quelques jours, elle avait pris une multitude de décisions graves sans trop réfléchir. Dès l'instant où elle avait défié John Benton dans son bureau, sa vie avait pris un cours nouveau. Elle s'était trouvée obligée de répondre oui ou non sans prendre le temps de méditer sur les conséquences éventuelles. Elle n'avait pas pesé le pour et le contre, seulement réagi instinctivement.

Elle se redressa en rejetant sa chevelure dorée en arrière d'un brusque coup de tête. Le moment était venu de se maîtriser, et surtout, de chasser cette ridicule idée de sa tête. Comment pouvait-elle être attirée par Gérard North ? C'était impossible ! Non, elle n'avait pas été dans son état normal. Cela s'expliquait, après un voyage au-dessus de l'Atlantique, l'excitation, l'énervement... *Amoureuse de Gérard North?* Impensable ! Grotesque ! Elle comprendrait son erreur dès qu'elle aurait de nouveau l'occasion de l'affronter. Bien sûr, il était séduisant et possédait une sorte de magnétisme, auquel toutes les femmes sont sensibles, surtout lors d'une promenade au clair de lune. Mais elle, Suzanne French, savait pressentir le danger. Elle n'était pas venue ici en quête d'une aventure sans lendemain. Suzanne était ici pour rendre service à Della et à Vic. C'était l'essentiel de sa mission. La jeune fille en profiterait aussi pour découvrir le plus grand nombre possible des merveilles recelées dans cette île paradisiaque. Elle avait saisi sa chance et n'aurait sans doute plus jamais l'occasion de revenir.

Suzanne descendit de son lit et se dirigea vers la baie vitrée. Magnifique ! Quelle extraordinaire sensation de pouvoir contempler de sa fenêtre la plage de sable fin, les palmiers et ce paisible lagon turquoise !

Elle consulta son réveil : il était déjà plus de dix heures. Elle avait dormi tard. Il n'y avait plus une minute à perdre ! Se précipitant vers la valise de Della, elle en sortit un maillot blanc à pois rouges. Elle rangerait toutes ses affaires tout à l'heure, se promit-elle. Pour l'instant, elle avait un désir incontrôlable à satisfaire : aller à la rencontre de la mer. Le bikini lui seyait à merveille. Elle chaussa des sandalettes, passa un coup de peigne dans ses cheveux, s'enveloppa hâtivement dans un peignoir rouge et descendit en courant dans la cuisine. Il lui semblait inutile de s'inquiéter pour Gérard North maintenant : il était certainement parti pour son bureau.

Une ravissante métisse aux cheveux noirs et bouclés et au sourire accueillant s'avança vers elle.

— Bonjour, Miss. Je vous prépare votre petit déjeuner tout de suite. M. North m'a dit de ne pas vous réveiller car vous étiez épuisée par votre voyage.

Suzanne lui rendit son sourire.

— Je prendrai volontiers une tasse de café s'il y en a. Vous êtes Adèle, je suppose ?

— C'est exact. Mon père est le cuisinier, au restaurant du club. Nous sommes arrivés de la Martinique, il y a deux ans. On trouve facilement une place, ici. Les gens sont riches, vous comprenez ? Je viens faire le ménage chaque matin pendant deux heures dans cet appartement, puis je passe deux autres heures chez les voisins... Ils s'étaient absentés, ajouta-t-elle en fronçant le nez, mais aujourd'hui, je dois y retourner. Vous prenez du lait dans votre café ?

Suzanne but debout devant la table, tandis qu'Adèle essuyait les verres et les rangeait soigneusement par ordre de grandeur sur un plateau, sans cesser de bavarder.

— Miss Lord, la voisine, n'est pas très sympathique, je trouve. Elle attend trop de moi. Je préfère travailler ici. M. Caldicott est vraiment charmant, il est si doux, si aimable ! Quant à M. North, soupira-t-elle en roulant des yeux, quel homme !... Vous allez bien vous amuser ici, n'est-ce pas, pendant que M. Caldicott est soigné à l'hôpital...

— M. North et moi sommes bons amis, sans plus, précisa Suzanne avec empressement.

Adèle ne la croirait probablement pas. D'ailleurs c'était faux. Aucune femme ne pouvait rester insensible au charme de Gérard North... Elle se sentit brusquement à court de souffle. Avalant rapidement le reste de sa tasse, elle sortit de la pièce sans donner un mot d'explication à Adèle et s'en fut en courant vers la plage.

65

L'endroit était presque désert. Une ou deux personnes seulement s'étaient installées sous leurs parasols. Deux hommes mettaient un canot à l'eau pour rejoindre un immense yacht blanc ancré au loin. Le sable était chaud sous les pieds de Suzanne. Elle ôta ses sandales, se débarrassa de son peignoir puis, avec un frisson de volupté, s'avança vers les vagues.

Jamais de sa vie elle n'avait éprouvé un tel sentiment de bonheur! Elle plongeait, revenait à la surface, clignait des yeux, riait aux éclats, toute seule. Un moment, elle se laissa flotter au gré du courant, paupières closes, savourant le goût salé sur ses lèvres et la puissance des rayons du soleil sur son front. Puis, se retournant sur elle-même tel un poisson frétillant, elle entreprit une course imaginaire vers le large.

Elle n'avait plus nagé du tout depuis trois longues années, mais en arrivant aux abords du récif, son assurance était revenue. Elle plongea vers le fond. Malheureusement, sans masque, il était impossible de distinguer quoi que ce fût. Elle remonta à la surface pour reprendre son souffle. Quel dommage! Elle était là, avec de splendides coraux sous ses pieds, et elle ne voyait rien! Dès la première occasion, elle se procurerait un équipement de plongée sans attendre que Gérard lui présente son ami!

Elle allait rentrer à l'appartement tout de suite, prendre un petit déjeuner copieux, puis se rendre à George Town, d'où elle enverrait des fleurs à Oncle Ben. Ayant accompli cette petite formalité, elle se renseignerait pour savoir où elle pouvait louer une combinaison à un prix raisonnable.

En atteignant la plage, elle aperçut un homme qui l'observait de loin. Ce n'était pas Gérard. Il n'était ni imposant ni fort mais plutôt mince... Elle reconnut ensuite Sébastien Lord. Il s'approcha et la salua d'une voix enjouée.

— Bonjour, Della ! Vous vous levez bien tôt !

— Bonjour.

Elle repoussa une mèche de cheveux collant à son front, inconsciente de l'image qu'elle présentait : celle d'une femme adorable aux yeux brillants d'enthousiasme et de bonheur. Elle ne décela pas la lueur d'admiration dans le regard de son compagnon.

— Pas assez, à mon avis ! reprit-elle avec un sourire. L'eau est si bonne ! Je pourrais y rester toute la journée !

Elle se pencha pour saisir son peignoir. Cependant, Sébastien la devança et le drapa délicatement sur ses épaules.

— Pourquoi en sortir maintenant ? Nous pourrions nous baigner ensemble. J'ai besoin de me réveiller. Fanny m'a entraîné malgré moi à une soirée hier, nous nous sommes couchés à l'aube ! Elle dort encore.

Suzanne prit ses sandales dans une main et se mit à marcher.

— Je suis désolée, c'eût été avec grand plaisir, mais je dois descendre à George Town. Je veux envoyer des fleurs et un télégramme à M. Caldicott... à oncle Ben, à l'hôpital.

Sébastien lui emboîta le pas.

— Je pensais aller en ville, moi aussi. Il me faut une nouvelle corde ré.

— Une quoi ?

— Une corde ré, pour ma guitare, expliqua-t-il. Je vous emmène si vous voulez.

Ils avaient atteint l'immeuble. Suzanne s'immobilisa.

— C'est gentil. J'avais l'intention d'appeler un taxi.

— Oh, non, je vous en supplie à genoux, vous me briseriez le cœur !

Il grimaça, feignant le plus grand désarroi. Suzanne s'amusa de son air comique, avec sa grande bouche et ses taches de rousseur. Quel plaisir de se trouver en compagnie d'un garçon drôle et simple, après avoir affronté l'arrogant Gérard North !

— Mon Dieu ! s'exclama-t-elle, jamais je n'oserais être aussi cruelle ! J'accepte votre invitation. Nous nous retrouvons d'ici vingt minutes environ ?

— Parfait ! Je vous attendrai ici.

Adèle avait disparu, laissant dans la cuisine un plateau chargé de croissants, de beurre et de fruits tropicaux à l'intention de la jeune fille. Suzanne mangea debout, puis monta en courant se doucher et s'habiller. Elle choisit une tenue raisonnable : un pantalon blanc en toile légère et un chemisier vaporeux à manches longues. Mieux valait se protéger du soleil. Elle entendait d'ici les commentaires de Gérard North si elle se plaignait de brûlures : « Je vous l'avais bien dit ! »...

Sébastien l'attendait sur la terrasse. A son arrivée, son regard s'illumina.

— Su-perbe ! murmura-t-il.

Vêtu d'un jean trop large et d'une chemise rayée rose et bleue, il avait vaguement l'air d'un clown. Il conduisit Suzanne devant une voiture décapotable, d'un rouge vermillon.

— Je suis ravi ! s'écria-t-il. Je veux dire... Vous êtes là, ma voisine. J'étais furieux quand mon père a décidé de nous renvoyer ici, Fanny et moi, mais maintenant que vous êtes là... Tout va pour le mieux !... A l'assaut ! hurla-t-il en doublant une petite Austin blanche à toute allure et en se rabattant d'un brusque coup de volant.

Suzanne s'accrochait au tableau de bord, terrorisée.

— Calmez-vous, Sébastien. Je tiens à arriver à George Town entière.

— Désolé, très chère... A présent, racontez-moi l'histoire de votre vie, poursuivit-il en ralentissant... un peu.

— Parlez-moi plutôt de vous.

Il soupira.

— Je vais vous ennuyer à mourir. Enfin, si vous insistez... Sébastien Lord, né à Richmond. Vingt et un ans. Mon père est fabricant de mobilier de bureaux. Mes parents ont acheté un logement dans les Caïmans, pour les vacances. Puis ils sont retournés en Angleterre, mettant l'appartement en vente. Un acheteur s'est présenté récemment puis il est revenu sur sa décision. Ma sœur Fanny a convaincu mon père de la renvoyer ici et j'ai été plus ou moins forcé de l'accompagner, contre mon gré. En fait, mon père n'a aucune confiance en elle. Fanny a pourtant l'âge de prendre ses responsabilités : elle a sept ans de plus que moi. Voilà. C'est tout.

— Passionnant, assura-t-elle en souriant. Et que faites-vous, maintenant ?

— Ce que je fais ?

— Oui ! Vous travaillez ? Vous avez entrepris des études ?

— Ah, le travail ! Alors là !... Jusqu'ici, je n'ai guère eu le temps d'y songer. Mon papa me conseille d'entrer dans le monde des fabricants de mobilier de bureaux, mais pour tout vous avouer, cette perspective m'enchante peu. M'imaginez-vous en train de fixer des pieds de tables ?

— Pourquoi pas ? Après tout, si nous voulons des tables, il faut bien leur mettre des pieds.

Une grimace lui retroussait le nez.

— Vous avez l'esprit pratique. Enfin, si cela peut vous intéressez... vous seriez la seule... je préfère

composer des chansons. Je trouve la dernière particulièrement réussie.

Suzanne l'observa à la dérobée.

— J'aimerais beaucoup l'entendre.

— C'est vrai ? Tant mieux ! Enfin quelqu'un qui
me prend au sérieux ! Passez chez moi ce soir, je
vous présenterai mon spectacle. Amenez le Grand
Financier, Fanny en sera enchantée... C'est à cause
de lui qu'elle a tenu à revenir, précisa-t-il d'un ton
confidentiel. Avant notre départ forcé, ils s'entendaient à merveille. Enfin, d'après Fanny. Elle a été
bouleversée de le voir surgir avec vous hier soir.
Quand elle a appris que vous séjourniez seule avec
lui à l'appartement, elle a failli exploser de rage !

Il lui glissa un coup d'œil inquisiteur. Suzanne,
cependant, refusait de s'étendre sur ce sujet. Elle
feignit d'admirer le paysage.

— Quelle belle journée !

— D'accord, j'ai compris, marmonna-t-il avec un
sourire penaud. Je dois me mêler de mes affaires. Je
vous prie d'accepter mes excuses, Miss... euh ?

— Benton.

Elle commençait presque à le croire !

— Je vous prie d'accepter mes excuses, Miss
Benton.

— Je vous autorise à m'appeler par mon prénom,
Della. Vous ne vous en êtes pas privé, quand nous
nous sommes rencontrés tout à l'heure sur la plage...

Il se recroquevilla sur son volant, comme pour
parer à une attaque.

— Vous savez remettre un garçon comme moi à
sa place, n'est-ce pas ?

— Je l'espère.

Ils arrivaient devant la Poste centrale de George
Town.

— Puis-je vous inviter à boire un verre... un
café ? proposa-t-il, suppliant.

70

— Non, merci. J'ai de nombreuses courses à faire.

— Vous déjeunez sans doute avec le Grand Financier.

Elle le gratifia de son plus radieux sourire et ouvrit la portière.

— Bien, bien, je vois. Mais, s'il vous plaît, accordez-moi dix petites minutes avant de partir. Je connais un endroit sympathique près du port. Les jus de fruits sont divins !... Après tout, je vous ai déposée...

— Bon, dix minutes, pas une de plus !

— Très bien !... Je ne peux pas me garer dans cette rue, c'est interdit. Je vais aller voir plus loin. Quand vous aurez envoyé votre télégramme, descendez par là. Je vous rejoindrai.

La voiture rouge vif fut absorbée dans le flot de véhicules. Suzanne ne connaissait pas cette ville, mais elle l'aimait déjà. Elle contempla les passants. La plupart étaient des touristes, mais on repérait çà et là un métis à la démarche souple. Tout le monde souriait.

Après avoir emprunté le chemin indiqué par Sébastien, la jeune fille déambula lentement, s'arrêtant ici et là devant une vitrine alléchante. Elle admirait un magnifique châle en batik, quand une voix familière lui parvint derrière son dos.

— Il vous plaît ?

Elle se retourna vivement, Gérard North souriait.

— Ah... euh... bonjour, marmonna-t-elle en s'humectant les lèvres. Je... Je ne m'attendais pas à vous voir.

— Je travaille par ici, déclara-t-il en haussant, moqueur, un sourcil.

Glissant un bras sous son coude, il l'attira un peu à l'écart afin de laisser passer deux imposantes femmes aux cheveux teints, arborant des lunettes de soleil démesurément grandes.

— Je regardais par la fenêtre de mon bureau, reprit-il, et je vous ai aperçue en compagnie de notre ami Sébastien. J'ai pensé venir à votre secours...

Suzanne reprenait enfin des esprits.

— Quelle idée ! Nous nous sommes rencontrés par hasard ce matin. Il a proposé de me déposer devant la poste.

— Par hasard ! railla-t-il. A mon humble avis, il vous guettait depuis l'aube, embusqué derrière un buisson !

— Sornettes ! Et pourquoi donc ?

— Ma chère enfant, vous êtes-vous contemplée dans une glace dernièrement ? Je vous l'ai déjà dit, vous êtes ravissante. Ne le niez pas, vous le savez. Vous serez bientôt cernée par une horde d'admirateurs béats.

Elle n'aimait pas du tout cette lueur dansante dans ses yeux : celle-ci n'était pas admirative mais dangereuse, menaçante !

— Aujourd'hui, Sébastien est le premier sur la liste d'attente, riposta-t-elle. Il est allé garer la voiture et va venir me rejoindre.

Il arriva à cet instant précis, haletant.

— Désolé de vous avoir fait languir !... Je ne trou... Ah... Bonjour, Gérard !

— Bonjour, Sébastien. C'est gentil d'avoir amené Della... Nous pourrions boire un verre tous ensemble, malheureusement je vais vous enlever votre amie tout de suite. Nous avons rendez-vous avec Mike Green pour la location d'un équipement de plongée.

Sébastien parut effondré.

— Ah !... eh bien !... Tant pis, alors.

— Tant pis, murmura Gérard. Suivez-moi, Della, c'est par ici. A plus tard, Sébastien !

Suzanne se trouva entraînée malgré elle. Elle jeta un coup d'œil par-dessus son épaule et vit Sébastien, l'air malheureux, qui les regardait s'éloigner.

— Merci ! A ce soir, Sébastien !

Il sourit et agita la main en guise de salut.

Suzanne se réfugia dans le silence. Au bout de quelques minutes, elle leva les yeux vers Gérard North.

— Vous vous êtes comporté d'une manière impardonnable. Vous êtes un grossier personnage ! Et en plus, vous avez menti. Comment pouvions-nous avoir rendez-vous ? Vous ne vous doutiez même pas que nous nous verrions ce matin.

Il demeura impassible.

— Nous nous dirigeons vers le port. Vous trouve-rez tout ce dont vous aurez besoin là-bas.

Suzanne était ulcérée : avec un peu d'audace, elle le giflerait ! Elle ressassait encore sa colère quand ils pénétrèrent dans le club. Sa mauvaise humeur se dissipa pourtant très rapidement : cette boutique recelait des trésors ! Ici, elle pourrait se procurer un équipement sophistiqué...

Gérard North s'avançait vers un jeune homme allongé sur une banquette. Ce dernier posa son livre de poche.

— Bonjour, monsieur North.

— Bonjour, Jim. Mike est là ?

— Je regrette, il est sorti avec le bateau. Il sera de retour vers quinze heures.

Gérard claqua la langue.

— C'est ennuyeux ! Mais enfin sans grande importance, Della, choisissez ce qu'il vous faut, nous mettrons tout dans la voiture, puis je vous déposerai à l'appartement.

— Vous l'avez peut-être oublié, mais je suis venue à George Town acheter des fleurs pour oncle Ben.

— C'est possible. Nous nous en occuperons tout à l'heure. Voici les masques. Celui-ci vous conviendrait-il ?

Il en prit un... des plus simples... et le lui tendit. Suzanne ne put refréner son envie de le contredire systématiquement.

— Je préfère celui-ci.

— Vous avez raison de vous montrer difficile, acquiesça-t-il en s'approchant pour le lui appliquer sur le visage... Il est essentiel qu'il aille bien. Voilà !... Inspirez doucement. Non... doucement.

Le monstre ! Suzanne fulminait. Il savait quel effet il avait sur elle ! Elle s'éloigna vivement.

— Je vais l'essayer moi-même.

— Comme il vous plaira.

Elle hésita longuement entre plusieurs modèles : elle ne voulait pas se décider à la légère. Puis, elle se préoccupa des palmes et du tuba. Adossé contre le mur, Gérard la contemplait sans mot dire. Elle espérait l'exaspérer avec ses tergiversations ; il arborait une expression impassible.

— Voilà, annonça-t-elle enfin.

Il sélectionna un couteau de pêcheur exposé sur une étagère.

— Prenez ceci, aussi. Il ne faut jamais plonger sans couteau.

Suzanne frémit intérieurement, furieuse contre elle-même. Comment avait-elle pu oublier cette règle élémentaire ?

— Dois-je payer maintenant ? s'enquit-elle en cherchant des yeux le jeune garçon qui les avait accueillis.

— Non, je verrai Mike plus tard. Je vous conseille de prendre un harnais : j'ai deux bouteilles d'oxygène à la maison, je vous les prêterai si vous voulez. Cependant, j'insiste pour que vous fassiez votre première tentative en compagnie de Mike. Je ne pense pas avoir le temps de vous enseigner personnellement les rudiments de ce sport.

Suzanne demeura silencieuse. Elle préférait cent fois plonger avec Mike Green, un inconnu, plutôt qu'avec son arrogant compagnon ! Elle imaginait d'avance l'attitude de Gérard : il critiquerait ses moindres mouvements et la harcèlerait sans cesse.

— Bien, à présent, allons-nous-en. Portez le harnais, je me charge du reste... Nous emportons tout ceci ! s'écria-t-il à l'intention de Jim, réfugié dans l'arrière-boutique. Prévenez Mike, voulez-vous ? Je passerai le voir demain.

Le garçon les regarda par-dessus son livre, mais ne daigna pas se lever.

— D'accord, monsieur North.

— Quel paresseux ! marmonna Gérard, tandis qu'ils regagnaient la voiture... Les habitants de ces régions sont gentils, malheureusement, ils n'ont aucun sens du temps qui passe.

Quel contraste avec Gérard North, si vif et efficace ! pensa-t-elle. Il rangea tout l'équipement de la jeune fille dans le coffre, puis l'emmena chez un fleuriste. Elle commanda un énorme bouquet et inscrivit quelques mots sur la carte procurée par la vendeuse :

— Je vous souhaite une prompte guérison. A bientôt, gros baisers, Della.

Elle sentait le regard intense de Gérard posé sur elle pendant qu'elle écrivait. Quelle serait sa réaction, quand il apprendrait le subterfuge ? Il exploserait de rage ! Gérard North n'était pas homme à apprécier une telle duperie ! En sortant, malgré le soleil brûlant, elle frissonna.

— Avez-vous d'autres emplettes à faire ? lui demanda-t-il d'une voix neutre... Vous devriez porter des lunettes de soleil. A midi, la lumière est éblouissante. En avez-vous ?

— Non, je ne m'en suis jamais servie. Je n'en ai jamais eu besoin.

Il haussa un sourcil inquisiteur.

— Même aux sports d'hiver ?

— Non.

Bien entendu, une fille comme Della Benton devait passer plusieurs semaines chaque année sur les pistes enneigées de la Suisse ou de l'Autriche...

— Je n'en veux pas, affirma-t-elle après un court silence.

— Vous allez en acheter tout de même, ordonna-t-il en l'entraînant par le bras vers un magasin spécialisé. Allons, choisissez-en une paire. Nous ne voulons pas voir souffrir ces grands yeux noisette, n'est-ce pas ?

Il lui sourit, moqueur. Les minutes passaient, Suzanne le trouvait de plus en plus agaçant. Cependant, elle n'avait d'autre alternative que de lui obéir. Il était parfaitement inutile de protester, de jouer le rôle d'une enfant récalcitrante : de toute façon, il finirait par gagner. Elle sélectionna hâtivement une monture et la tendit à la vendeuse.

— Dix dollars, s'il vous plaît, madame.

Suzanne s'attendait à ce que Gérard vienne payer, mais il ne bougea pas. Elle sortit de son sac à main le porte-monnaie de Della et compta dix billets de un dollar.

— Il en manque deux, madame.

— Mais... mais non, regardez ! balbutia Suzanne, fort mal à l'aise, à l'idée de créer un esclandre devant Gérard North.

La vendeuse sourit.

— Vous m'avez donné dix dollars U.S.

Gérard se pencha sur le comptoir avec deux billets.

— Ça ira ?... Venez, Della, ajouta-t-il en posant un bras autour de ses épaules.

Dehors, elle laissa libre cours à son irritation.

— Qu'est-ce que c'est que cette histoire ? Je lui ai bien donné dix dollars, j'en ai la certitude !

— Oui, mais selon le cours du dollar des Caïmans, celui des Etats-Unis vaut quatre-vingt cents environ. Nous allons échanger vos billets américains à la banque tout de suite, sinon vous vous tromperez chaque fois... Voulez-vous un rafraîchissement avant de prendre le chemin du retour ?

— Non merci, déclara-t-elle en détournant vivement la tête, honteuse. Je préfère rentrer.

Il haussa les épaules et la guida en direction de la voiture. Suzanne ne disait mot. Le soleil était éblouissant : son bon sens lui commandait de mettre ses nouveaux verres teintés. Tous les passants en portaient. Mais Suzanne était parfois entêtée : elle n'avait aucune envie de se soumettre aux ordres de Gérard North. Elle avait oublié d'envoyer le télégramme.

De retour à l'appartement, ils transportèrent tout son matériel vers une hutte construite à l'arrière du bâtiment. L'abri était minuscule, mais il contenait une quantité impressionnante de harnachements, soigneusement rangés. En un coup d'œil, Suzanne comprit combien Gérard était un passionné de plongée sous-marine. Il était sans aucun doute expert en la matière : la sophistication de son matériel en était la preuve. Cependant, elle se garda d'exprimer tout haut son admiration et son intérêt.

— Je vous cède ce petit coin, annonça-t-il. Je vais pousser ces objets par là... Voilà, conclut-il en se redressant au bout de quelques minutes. Tout est impeccable. Je tâcherai de me libérer quelques heures demain et je vous emmènerai tenter une première expérience... Interdiction absolue de vous servir de cet équipement en mon absence, vous avez bien compris ?

Il la dominait de toute sa hauteur. Troublée,

Suzanne sentit sa gorge se contracter. Il lui était impossible de bouger : elle était acculée contre un canot pneumatique accroché au mur. Gérard la dévisagea longuement.

— Qu'y a-t-il, Della ?

Elle avait deux solutions : ou elle se dérobait, ou bien elle lui avouait ses sentiments. Elle ravala sa salive.

— Rien, rien du tout, assura-t-elle. Cependant, votre attitude me déplaît. Depuis tout à l'heure, quand nous nous sommes rencontrés par hasard à George Town, vous avez adopté un comportement insupportable à mon égard : vous me traitez comme si j'étais une enfant indisciplinée et irréfléchie.

Il secoua la tête, lentement, sans la quitter des yeux.

— Je suis désolé de vous avoir donné cette impression. Je ne vous considère pas comme une enfant, Della, croyez-moi. Au contraire, je vous vois comme une femme ravissante et désirable. Je cherche simplement à vous mettre à l'aise, à rendre votre séjour plus agréable. Ben m'a recommandé de m'occuper de vous.

Elle rejeta la tête en arrière.

— Ha ! La belle excuse ! Oncle Ben vous a sans doute demandé de me séduire, par la même occasion !

Il fronça les sourcils, menaçant.

— Non. C'est moi qui ai eu cette idée. Je suis heureux de constater qu'elle vous a traversé l'esprit.

— Oh ! vous… !

Furieuse, la jeune fille leva la main pour le gifler, mais, d'un mouvement rapide, il l'immobilisa contre le canot pneumatique.

— Attention ! gronda-t-il entre ses dents. Jamais une femme ne s'attaque à moi sans en subir les

78

conséquences. J'ai une excellente méthode pour les punir de leur insolence.

Un long frisson la parcourut.

— Non... Je vous en prie, chuchota-t-elle...

— Quoi ?

Sa voix était doucereuse, mais il ne relâcha pas son étreinte.

— Ne me faites pas mal... Lâchez-moi !

— Pas encore...

Il lui adressa un sourire cynique, et l'agrippa par la taille. Suzanne essayait en vain de se débattre, de le repousser. Ses efforts étaient inutiles : hypnotisée par son regard perçant, fascinée, elle attendit, immobile.

Gérard prit tout son temps. Lorsque enfin elle sentit ses lèvres sur les siennes, elle tressaillit. Elle s'était vaguement attendue à un baiser brutal et cruel. Il n'en fut rien...

Elle s'efforça de demeurer froide et rigide. Ce fut impossible. Jamais de sa vie elle n'avait éprouvé une telle émotion ! Malgré elle, elle accrocha ses bras autour du cou de Gérard. Une vague de honte la submergea. Elle avait attendu cet instant depuis la veille, elle en avait même rêvé cette nuit !

Brusquement, il s'éloigna. Hors d'haleine, frissonnante, les yeux brillants, elle s'adossa à la paroi de l'abri. Gérard était haletant : elle ressentit soudain une impression de triomphe. Elle avait réussi à faire disparaître, l'espace de quelques instants, ce masque impassible !

Il se maîtrisa rapidement, arborant de nouveau un air autoritaire. Un léger sourire aux lèvres, il recula d'un pas, jaugeant la jeune fille.

— Ce fut un intermède fort agréable. Nous recommencerons bientôt, j'espère.

Ulcérée, elle riposta :

— Je vous déteste !

— En effet, j'ai pu m'en rendre compte… Je regrette, poursuivit-il en se dirigeant vers la porte, j'aurais volontiers déjeuné avec vous, mais j'ai un rendez-vous. Vous trouverez quelques provisions dans le réfrigérateur. Sinon, vous pouvez toujours aller au restaurant du club. Dites à Owen de mettre votre repas sur mon compte.

— Je préférerais mourir affamée !

Il souriait toujours.

— N'exagérons rien. Enfin, j'ai compris votre message, n'en parlons plus… Je vais peut-être changer de tactique, maintenant… Oui, c'est cela… J'y songerai. A plus tard, Della, je rentrerai en fin d'après-midi.

Tremblante, elle attendit que la voiture s'éloigne avant de sortir de la hutte. Puis, soulagée, elle se précipita au pas de course dans l'appartement et s'effondra mollement dans un fauteuil du salon.

Son esprit était en effervescence. Gérard North venait de se comporter d'une manière inadmissible, odieuse ! Jamais elle ne le lui pardonnerait ! Pourtant, elle avait savouré chaque instant de ce baiser. Que faire maintenant ? Elle était en danger ! De qui devait-elle se méfier le plus ? De Gérard North ? Ou bien d'elle-même ?

Elle contempla le téléphone comme s'il pouvait la sauver du désastre. Si seulement Della pouvait l'appeler ! Elle saurait au moins combien de temps cette sinistre mascarade risquait de continuer. Suzanne s'était plus ou moins attendue à être contactée la veille, dès son arrivée. Mais Della était trop excitée à l'idée de se retrouver auprès de Vic et avait probablement repoussé indéfiniment le moment de joindre Suzanne pour savoir comment oncle Ben avait accueilli la nouvelle.

Suzanne poussa un profond soupir. Elle ne pouvait en vouloir à Della ! Celle-ci avait saisi avec avidité sa chance et son bonheur. C'était une pensée réconfortante, et à l'idée d'avoir aidé son amie, Suzanne acceptait mieux celle de devoir affronter Gérard North.

Elle se secoua intérieurement. Elle n'était pas amoureuse ! Non, non ! Elle avait réagi à une attraction physique, tout simplement ! Combien de jeunes filles comme elle avait-il embrassées de la même manière ? Des dizaines, certainement ! Ce genre d'homme n'avait aucun scrupule. A l'avenir, elle se méfierait...

Calmée, elle se rendit dans la cuisine, où elle trouva quelques fruits exotiques et une boîte de biscuits. Ce serait son déjeuner. Elle disposa soigneusement le tout sur un plateau et revint au salon. Elle mangerait devant la fenêtre ouverte et contemplerait à sa guise la vue spectaculaire sur le lagon.

Tout d'un coup, elle sourit. Quelle chance elle avait de séjourner dans ce coin de paradis terrestre ! Elle allait en profiter pleinement ! Chassant tout le monde de ses pensées, Della, Vic, oncle Ben et surtout Gérard North, elle entama un quartier d'ananas.

On frappait à la porte d'entrée. Presque aussitôt, une silhouette mince surgit sur le patio.

— Bonjour Della, j'ai vu disparaître l'automobile du Grand Financier. Voulez-vous venir vous baigner avec moi tout à l'heure ? Je dois d'abord emmener Fanny déjeuner, puis la déposer chez son coiffeur. Vous avez trouvé votre matériel de plongée ?... Regardez ces récifs, comme ils sont tentants !

Suzanne hésita.

— J'irais volontiers nager, mais je n'ai pas plongé depuis plusieurs années.

— Aucun problème, si je suis avec vous. Je m'occuperai de vous. Ce sera amusant !

Oui, très amusant, se dit-elle. Et sans grand

danger, s'ils s'en tenaient à l'usage du masque et du tuba. Gérard n'était pas raisonnable de lui interdire d'utiliser son équipement. Pourquoi lui obéirait-elle ?

— Avec plaisir !

— Bien ! Je vous retrouve sur la plage vers quinze heures. D'accord ?

— D'accord.

Il fit un salut cérémonieux et disparut. Suzanne savoura sa victoire. Pour qui se prenait-il, ce M. Gérard North ? Pour rien au monde elle ne se soumettrait à ses moindres désirs. Elle grignota un biscuit, enchantée. Cet après-midi, elle allait se distraire vraiment !

5

Suzanne exultait. Elle nageait tranquillement à la surface du lagon, le visage tourné vers le fond, se délectant du goût salé sur ses lèvres et la chaleur du soleil sur son dos. Les trésors du monde sous-marin se déployaient sous ses yeux. C'était fascinant !

La jeune fille avait lu de nombreux livres sur la plongée dans les mers tropicales. Cependant, jamais elle n'avait imaginé un tel spectacle. En compagnie de Sébastien, elle explorait le bord du récif, à l'endroit où le sable cédait sa place aux coraux. Le lit de la mer prenait des couleurs subtiles, parsemé de pierres étranges, creusées, cannelées. De minuscules poissons aux écailles étincelantes évoluaient entre les algues.

Sébastien avait trouvé un nouveau jeu : il plongeait, passait sous Suzanne, et émergeait de l'autre côté.

— Venez, Della ! Poussons plus loin notre exploration. Je vais vous montrer, c'est très facile ! Regardez-moi. Il suffit de prendre une longue inspiration.

Suzanne l'écoutait, amusée. Elle n'avait pas besoin de leçons, elle connaissait tous les secrets de ce sport. Cependant, elle ne voulait pas l'avouer : plonger avec Sébastien lui paraissait risqué. Elle se méfiait de son comportement assuré. D'une part, il respirait trop vite, d'autre part, il restait beaucoup trop longtemps sous l'eau. Elle le soupçonnait de vouloir se faire admirer.

— Non, merci ! lança-t-elle avec un sourire. Je me contente d'admirer le paysage d'ici, on dirait un jardin sous-marin !

— Je voudrais vous montrer l'épave ! insista-t-il. Elle est très vieille, il reste à peine quelques débris du bateau échoué, mais c'est passionnant.

— Non. Je préfère admirer les objets vivants.

— Dans ce cas, accompagnez-moi. Vous me regarderez plonger.

Quel enfant ! Il se comportait comme un adolescent avide de louanges.

— Bien. J'irai seul.

Suzanne finit par accepter, à contrecœur. De toute façon, il valait mieux qu'elle le suive. Elle voulait le surveiller sans en avoir l'air car elle n'avait aucune confiance en ses capacités.

Sébastien nageait avec des mouvements énergiques, mais elle n'eut aucun mal à rester à sa hauteur. L'eau était d'une clarté limpide. Bientôt, elle aperçut quelques morceaux foncés ressemblant à du bois. Le vieux navire avait dû sombrer sur le récif plusieurs siècles auparavant. Un instant, elle l'imagina dans toute sa splendeur, majestueux, digne, voguant sur l'océan. Aujourd'hui, il n'en restait plus que quelques planches. Elle ne tenait pas à poursuivre cette expédition : elle aurait l'horrible impression de visiter un tombeau.

Sébastien le lui désigna du bout du doigt, mais elle secoua la tête. Il sourit.

— Tant pis pour vous !

Il disparut. Suzanne maintint avec précaution son tuba au-dessus de la surface de l'eau et le contempla à travers son masque. Sébastien s'amusait follement, essayant d'attraper les poissons, lui faisant de grands signes de la main.

Il continuait de descendre. Il aurait dû émerger depuis longtemps ! Les tempes de Suzanne battaient sourdement. Quelles étaient les règles élémentaires à observer lors d'un sauvetage ? Elle les repassa dans sa tête, une à une. Le danger existait bel et bien : si Sébastien se trouvait à court d'oxygène, il éprouverait les plus grandes difficultés pour remonter... Il risquait la paralysie progressive de tous ses membres, la perte de connaissance.

Elle ne pouvait pas l'attendre ainsi sans réagir ! Elle n'en avait pas le droit ! Prenant une longue inspiration, elle plongea. Dieu merci, les gestes lui revenaient automatiquement !

Elle ne s'était pas trompée. Blême, le corps flasque, Sébastien bougeait à peine. Elle le saisit fermement par la taille et le poussa d'un coup brutal vers le haut... Plus haut, plus haut, plus haut... Enfin, ils émergèrent de l'eau. A son grand soulagement, Sébastien se mit à tousser. Elle arracha vivement son masque afin de le laisser respirer librement et maintint sa tête hors de l'eau jusqu'à ce que ses joues aient repris des couleurs.

Elle le vit enfin remuer les jambes.

— Ça va ? s'enquit-elle, inquiète.

— Oui, oui, murmura-t-il d'une voix étranglée...

— Rentrons.

Il nageait de nouveau, affaibli, certes, mais au moins, il pouvait avancer tout seul. Suzanne n'aurait pas eu la force de le soutenir jusqu'au bout. Ils avaient atteint la plage.

A ce moment précis, elle aperçut Gérard. Une paire de jumelles à la main, il venait vers eux, furieux.

— Que se passe-t-il ? Je vous ai vus du patio !

Il les fusilla du regard ; tous deux s'écroulèrent sur

le sable. Allongée sur le dos, Suzanne ferma les paupières. Le choc l'avait éprouvée, elle était frissonnante malgré le soleil. Mon Dieu! Si elle n'avait pas été là, si elle ne s'était pas rappelé les principes à suivre en cas d'urgence, Sébastien serait au fond de l'eau, parmi les restes dispersés de l'épave! Elle tressaillit.

Gérard marmonna quelques mots incompréhensibles. Elle se sentit soulevée dans ses bras, transportée jusqu'à l'appartement, déposée sur un lit.

— Restez là, surtout ne bougez pas, ordonna-t-il d'un ton sans réplique.

Elle ouvrit les yeux.

— Gérard... Attendez, chuchota-t-elle... Sébastien... Comment va-t-il?

— Très bien! Il est retourné chez lui tout seul.

Il disparut dans la salle de bains. Suzanne entendit l'eau couler dans la baignoire. Il revint bientôt, avec l'intention de la porter dans la pièce attenante. Elle se redressa maladroitement : elle avait repris ses esprits et l'idée de sentir ces bras musclés autour d'elle l'affolait. Même sur la plage, encore hébétée, elle avait eu l'envie insensée de s'accrocher à son cou. C'était ridicule, à la fin! Elle s'en voulait de sa propre faiblesse.

— Je peux me débrouiller, décréta-t-elle en vacillant.

— Ne dites pas de sottises.

Sans lui laisser le temps de se rattraper au pied du lit, il la saisit d'un mouvement leste. Un instant plus tard, elle était dans la baignoire et savourait la chaleur bienfaisante de l'eau sur ses membres endoloris. Elle ne put réprimer un fou rire nerveux.

— Taisez-vous, ce n'est pas drôle! Je vous avais interdit de plonger en mon absence, petite idiote! Vous avez failli vous noyer!

Il n'avait rien compris... Il ne savait pas le fond de

86

l'histoire. Cependant, pour des raisons qu'elle ne s'expliquait pas, elle se refusa à décrire les circonstances exactes de l'incident.

— Vous m'avez dit de ne jamais plonger seule. J'étais avec Sébastien.

Il émit une sorte de grognement méprisant.

— Sébastien ! Je ne lui confierais pas un canard gonflable !

Moi non plus, songea Suzanne, mais elle n'exprima pas sa pensée à haute voix.

— Comment avez-vous su où je me trouvais ?

— Je suis rentré tôt. J'avais un pressentiment et il était fondé : quand je suis arrivé, l'appartement était vide, quelques éléments de l'équipement acheté ce matin avaient disparu aussi. J'ai pris mes jumelles et je vous ai repérés près de l'épave. Visiblement, vous aviez des problèmes. Quelle stupidité, Della ! Pourquoi ne pas m'avoir obéit ?

C'était donc cela ! Il était fou de rage parce qu'elle avait enfreint ses ordres ! Il ne pensait pas à elle, aux risques qu'elle avait encourus malgré elle !

Elle ravala sa salive, cherchant en vain à arborer un air digne.

— Voulez-vous sortir, je vous prie ? Je souhaite m'habiller.

Il ne répondit pas et demeura immobile. Puis, brusquement, il tourna les talons et s'en fut en claquant la porte.

Ces cinq minutes dans l'eau chaude avaient ragaillardi Suzanne. Elle revêtit un jean et un tee-shirt, se brossa vigoureusement les cheveux… Elle se sentait maintenant prête à affronter le terrible Gérard North.

Tête haute, elle descendit les marches de l'escalier. Elle trouva Gérard dans la cuisine. Il lui tendit une tasse de thé très sucré.

— Quelle horreur ! s'exclama-t-elle en grimaçant. Je ne prends jamais de sucre dans mon thé.

— Cette fois, vous allez le boire ainsi.

Vaincue, elle s'exécuta. Elle posa la tasse vide dans l'évier.

— Merci.

Elle pénétra dans le salon et vint se poster devant la baie vitrée, le regard fixé sur l'horizon. L'après-midi avançait, il faisait moins chaud. De nombreux touristes s'étaient installés sur la plage... Le lagon avait-il changé après ce malencontreux incident ? Etait-il devenu sinistre, menaçant ? Non... la mer était toujours aussi belle.

Gérard s'approcha d'elle.

— Je ne vous conseille pas de répéter cette petite plaisanterie. Promettez-moi de ne plus plonger en mon absence.

— Et si je refusais ?

Il la saisit par les épaules.

— Dans ce cas, je me verrais dans l'obligation d'employer une méthode personnelle de...

— Lâchez-moi ! s'écria-t-elle.

— Cessez de vous comporter comme une enfant gâtée.

Elle bougea maladroitement, dans une vaine tentative pour lui échapper.

— Vous êtes un grossier personnage, un monstre ! Je refuse de vous obéir !

— Quant à vous, vous êtes une petite fille irresponsable et égoïste, mal élevée par vos parents et rendue insupportable par votre argent. J'en ai rencontré des dizaines, par ici ! Le ciel me préserve des chipies de votre espèce !

Suzanne commençait à comprendre. Depuis le début, il l'avait classée une fois pour toutes dans cette catégorie peu flatteuse. Elle soupira intérieurement. Comme elle regrettait de ne pouvoir lui révéler toute la vérité ! Mais il n'en était malheureusement pas question pour le moment : elle ne pouvait abandonner Vic et Della...

« Vous verrez, monsieur Gérard North, marmonna-t-elle à part elle, quand tout cela sera terminé ! Votre amour-propre en souffrira ! » Elle lui tourna le dos, traversa la pièce, prit une revue sur la table basse et s'installa sur le canapé pour la feuilleter distraitement. Quel plaisir elle prendrait à l'observer, le jour où il apprendrait qui elle était réellement ! Elle s'en délectait à l'avance.

Gérard s'arrêta devant elle et lui prit le magazine des mains.

— Me promettez-vous de ne plus plonger sans moi, oui ou non ?

Elle croisa son regard et le soutint une longue minute fixement.

— Pouvez-vous avoir confiance en la parole d'une petite fille gâtée ?

Un silence pesant les enveloppa. Suzanne refusait de détourner la tête la première. Quand il avança la main vers son visage, elle demeura immobile. Il pouvait la gifler s'il en avait envie : ce serait la preuve de sa rusticité.

Il caressa une mèche de cheveux sur son front.

— C'est une couleur inhabituelle, murmura-t-il. Blonde comme vous êtes, vous devriez avoir les yeux bleus, pas bruns... C'est probablement ce qui m'a le plus frappé, le jour où j'ai contemplé votre portrait chez vous à Londres.

Suzanne était étrangement troublée. Si elle relevait le menton, il l'embrasserait. Son sang brûlait dans ses veines, son cœur battait sourdement...

Il ne bougeait pas et attendait qu'elle fasse le premier pas. Gérard semblait persuadé de sa bonne volonté. Elle ébaucha un sourire ironique.

— Ah, oui, la photo. Celle à partir de laquelle vous avez échafaudé ce fameux plan avec J. B.

Le visage de Gérard se durcit.

— Je vous le répète, cela ne s'est pas passé ainsi.

Elle se leva d'un bond et se réfugia de l'autre côté de la table basse.

— Ah ! C'est vrai, vous me l'avez déjà dit. J'oubliais, excusez-moi. Vous avez décidé tout seul de me séduire.

Il avança d'un pas, menaçant.

— Vous allez regretter amèrement cette remarque perfide, grommela-t-il.

Suzanne se raidit, apeurée. Elle avait été trop loin... Sa punition était bien méritée.

Paupières closes, en proie à un frisson d'extase, elle s'abandonna à son étreinte. Ils demeurèrent ainsi enlacés un long moment. Puis, soudain, il la repoussa.

— Qui va séduire qui ? chuchota-t-il.

Un bruit de pas leur parvint du patio.

— Bonjour ! Je ne vous dérange pas, j'espère ?

Fanny apparut, brisant d'un coup l'atmosphère de tension. Suzanne, tremblante, se laissa choir sur une chaise, s'efforçant en vain de paraître naturelle.

— Bonjour, Fanny, tu es superbe. C'est une nouvelle coiffure, non ?

— Je tenais à être belle pour fêter nos retrouvailles, Gérard chéri. Cela te plaît ? J'en suis enchantée.

Elle posa une main aux ongles carmin sur son bras, le gratifia d'un sourire éblouissant, puis se tourna vers Suzanne en défroissant machinalement les plis de sa jupe blanche.

— Et comment se porte la nièce de Ben ? Je venais prendre de ses nouvelles. Elle s'est bien amusée, tout à l'heure, avec Sébastien. Ces enfants sont incorrigibles ! Mon pauvre frère était honteux.

Vous n'avez pas trop souffert de ses imprudences, j'espère?

— Non, non...

— Ce serait plutôt le contraire, d'après moi, intervint Gérard d'une voix sèche.

Suzanne rejeta la tête en arrière, humiliée. Fanny glissa un bras possessif sous celui de Gérard.

— Quelle responsabilité pour toi!

— Laquelle? s'enquit-il, l'air étonné.

Elle balaya l'espace d'une main gracieuse.

— Mais... cette petite! Te voilà obligé de t'occuper d'elle pendant l'absence de Ben... Remarque, tu as de la chance, elle est ravissante!

— Ne t'inquiète pas pour moi, Fanny. Je saurai être à la hauteur, fit-il avec nonchalance.

Suzanne, furieuse, se retint de lui faire connaître le fond de sa pensée. S'étant détachée à contrecœur de son ami, Fanny se dirigea vers la baie vitrée.

— Je vous laisse, je me suis engagée auprès des Benson pour jouer au bridge! Quelle corvée! Enfin, nous vous voyons ce soir, n'est-ce pas? D'après Sébastien, Della lui a promis d'écouter quelques-unes de ses chansons. Il est ivre de joie! Venez dîner. Je demanderai à Owen de nous monter un repas. Vingt heures, cela vous convient? A tout à l'heure...

Après un dernier sourire charmeur, elle disparut.

Suzanne attendait une réflexion de Gérard, mais ce dernier se contenta de consulter sa montre.

— Je vous abandonne, j'attends un appel important de Washington au bureau. Je ne sais pas quand je rentrerai, mais je serai là à temps pour vous conduire chez nos voisins... Attention, pas d'imprudences! Cela ne vous ennuie pas de rester toute seule?

— Pas du tout, le rassura-t-elle. J'adore la solitude.

Il la dévisagea, sourcils froncés, puis sortit en marmonnant des paroles inaudibles.

Tout était silencieux. Une étrange sensation de vide s'empara de la jeune fille. Elle soupira. Au fond, elle était rassurée de savoir qu'elle avait quelques heures de calme et de tranquillité devant elle.

La bibliothèque paraissait bien fournie. Elle se pencha vers les rayons et entreprit l'examen attentif de tous les titres. Elle finit par choisir un ouvrage très complet traitant des diverses techniques de plongée sous-marine.

Les heures avaient passé. La lumière changeait. Dans une explosion de lueurs dorées et orangées, le soleil se couchait au loin. Les feuilles dentelées des palmiers se découpaient contre le ciel...

La pièce s'illumina soudain et Gérard parut.

— Vous restiez dans le noir ?... Je pensais vous trouver dans votre chambre, en train de vous apprêter pour notre soirée. Dépêchez-vous...

Elle cligna des yeux, éblouie par la luminosité.

— Je ne suis pas certaine de vouloir y aller.

Il pâlit.

— Vous n'êtes pas souffrante, au moins ?

Elle secoua la tête.

— Non, non, mais je...

— Vous n'avez mal nulle part ?

Elle haussa les sourcils, ahurie.

— Je suis en excellente santé ! Ne vous affolez pas, l'incident de cet après-midi n'a eu aucun effet secondaire.

— Ne plaisantez pas. Les conséquences de votre acte irréfléchi auraient pu être graves.

— Nous nous sommes contentés d'utiliser nos tubas ! Les risques de complications sont minimes !

Il prit une longue inspiration avant de reprendre la parole, d'un ton plus doux.

— Vous avez tout lu sur ce sujet, je vois.

— J'ai emprunté votre livre. Cela ne vous ennuie pas, j'espère.

— Pas du tout. Il appartenait à mon père. Il est un peu démodé, mais les principes de base demeurent les mêmes.

Il s'assit. Un long silence suivit. Suzanne cherchait quelque chose à dire. Gérard semblait avoir oublié sa présence. Paupières closes, il était préoccupé. Brusquement, il se redressa.

— Vous aimez plonger ?

— Oui, beaucoup.

— Nous irons ensemble demain matin. Mike est pris toute la semaine. Vous ne partirez plus au large en compagnie de Sébastien Lord.

Il aurait pu phraser sa proposition d'une autre manière, lui demander par exemple si cela lui ferait plaisir d'aller plonger le lendemain avec lui...

— Je ne voudrais pas vous déranger, vous êtes sans doute fort sollicité par vos affaires.

Il balaya cet argument d'un geste insouciant.

— Nous irons demain, répéta-t-il avec un léger sourire. Comme Fanny l'a constaté tout à l'heure, je suis responsable de vous en l'absence de Ben. A présent, allez vite vous changer. Fanny déteste qu'on arrive en retard chez elle.

Furieuse, elle songea un instant à refuser tout net. Enfin, vaincue par la lueur menaçante brillant dans les yeux de Gérard, elle se leva. Très digne, elle sortit sans mot dire.

Une fois dans sa chambre, elle regarda avec envie les jolis draps de son lit... Avec quel plaisir elle s'y glisserait maintenant ! Elle ne se sentait pas le courage d'affronter de nouveau cette femme : Fanny Lord. Elle pourrait prétexter une migraine... Gérard la croirait, il mettrait son malaise sur le compte de l'accident.

D'un autre côté, cela risquait de créer de nouveaux problèmes... D'ailleurs, elle avait promis à Sébastien d'écouter ses chansons. Elle ne pouvait le décevoir... Avec réticence, elle ouvrit son armoire...

Della Benton possédait des robes magnifiques dont toute jeune fille de vingt ans pouvait rêver. Suzanne en choisit une et la tint devant elle en contemplant son reflet dans la glace. Evidemment, si elle avait été bronzée, l'effet eût été sensationnel. Aux côtés de Fanny Lord, elle paraîtrait pâle et insignifiante. Tant pis ! Après tout, elle n'était pas là pour rivaliser avec cette femme !

Elle descendait l'escalier quand le téléphone sonna. Gérard répondit dans le salon.

— Della ! C'est pour vous, un certain Vic... Votre petit ami, je présume, ajouta-t-il avec un regard courroucé.

Elle se figea. Que pourrait-elle lui raconter en présence de Gérard ?

— Allô ?... Ah, Vic. Bonjour. Où êtes-vous ?

— Toujours en Floride... Vous êtes seule ?

Gérard se tenait debout près du bar, une main dans sa poche, l'autre tenant un cocktail. Il avait revêtu un costume bleu marine. Désinvolte, sûr de lui et de son charme, il paraissait très à l'aise.

— Non, Vic, je ne suis pas seule. Un ami d'oncle Ben est avec moi. C'est lui qui a décroché. Il s'appelle Gérard North... Il y a eu un incident malencontreux, poursuivit-elle avec empressement. Oncle Ben est souffrant, il a été transporté d'urgence à l'hôpital, au Texas. Nous ne savons pas encore si c'est grave. Il faudra peut-être l'opérer.

Un long sifflement lui parvint à l'autre bout de la ligne. Vic baissa le ton.

— Nous ne pouvons donc pas bavarder en toute tranquillité ?

— Non.

94

Du coin de l'œil, elle vit Gérard sortir sur la terrasse.

— Vous vous débrouillez tout de même ?

— Oui, oui. L'appartement est magnifique, l'endroit paradisiaque. Le séjour sera agréable à condition de recevoir de bonnes nouvelles d'oncle Ben. Je suis très déçue de ne pas pouvoir lui raconter les activités de la famille. Je vais devoir attendre son retour. Cela risque d'être long.

Elle entendit le soupir de soulagement de Vic. Apparemment, il avait compris le message.

— Mais pour l'instant, vous voulez bien continuer d'incarner le personnage de Della ?

— Oui, oui, ne vous affolez pas, tout va bien. Et vous ? La tournée marche bien ?

Elle marqua une pause, tout en se demandant si Vic comprendrait pourquoi elle adoptait un ton languissant, amoureux...

— ... Comment se porte le nouveau membre du groupe ?

Il s'esclaffa.

— Ah, oui... Suzanne ! C'est merveilleux. Elle est ici, à côté de moi. Elle me charge de vous dire qu'elle adore cette nouvelle vie.

Tant mieux ! Cela justifiait tout...

— Embrassez-la. Envoyez-moi une adresse où je pourrai vous écrire.

— Je peux vous en donner une tout de suite. Nous restons encore une semaine à Miami. Vous avez un crayon et un papier ?

Suzanne prit le bloc-notes et y nota les coordonnées de ses amis.

— Parfait ! Vous recevrez bientôt une lettre. Au revoir. Vous me manquez terriblement.

Elle raccrocha, le cœur lourd. Gérard revint, prenant soin de fermer la baie vitrée derrière lui.

— C'est à cause des insectes, précisa-t-il en la détaillant intensément. Vous êtes prête ?

— Oui.

Elle ramassa son sac à main.

— Della, attendez...

Les étoiles scintillaient dans un ciel de velours noir. Un parfum enivrant emplissait l'air. Gérard s'approcha d'elle et entoura ses épaules d'un bras.

— Nous ne sommes pas pressés, reprit-il d'un ton légèrement badin.

Suzanne se découvrit incapable de réagir. Cet homme avait le don de la troubler, d'éveiller en elle des sensations irrésistibles ! Elle s'immobilisa, ses jambes se dérobaient sous elle. S'il l'enlaçait maintenant, elle s'abandonnerait à son étreinte sans protester.

Il ne bougea pas. Après un silence interminable, il parla.

— Je pensais que vous seriez heureuse d'avoir des nouvelles de Ben.

— Ah oui, bien sûr... Je me demandais justement comment il allait, balbutia-t-elle.

— J'ai téléphoné à l'hôpital cet après-midi, de mon bureau. Le chirurgien l'a examiné ce matin. Il propose un nouveau traitement. Si celui-ci s'avère efficace, l'opération deviendra inutile. Ils pourront donc le renvoyer rapidement à George Town. Vous êtes rassurée, j'espère ?

— C'est... c'est formidable.

Les pensées les plus diverses se bousculaient dans son esprit. Si oncle Ben rentrait, tout serait fini, les mensonges, la mascarade. Elle imaginait d'avance l'expression de Gérard quand il apprendrait son subterfuge.

— ... Rapidement, c'est-à-dire ?

— Ils n'ont rien précisé. Selon moi, il pourra revenir d'ici une semaine.

Une semaine, c'était parfait ! Vic et Della auraient ainsi le temps d'adapter leurs projets. Dans huit jours, elle, Suzanne French, serait libérée, débarrassée de l'arrogant Gérard North.

Elle en était heureuse ! Heureuse ! Ils ne se reverraient jamais ! Leur relation avait commencé sur de fausses bases. Rien de positif n'en découlerait. Mieux valait se séparer dans une semaine.

Le claquement de ses talons sur le chemin dallé résonna dans la nuit.

De l'autre côté des récifs.   4.

6

— Holà! Où allez-vous de ce pas vif? Nous sommes arrivés!

Gérard l'immobilisa. Elle se dégagea farouchement de son étreinte. Oui, se répéta-t-elle, elle serait immensément soulagée de mettre un terme à cette folle aventure!

Il poussa la porte d'entrée.

— Il y a quelqu'un?

Une voix rauque leur parvint d'une pièce vers la gauche.

— Je suis ici, entre, chéri!

Ils pénétrèrent dans le salon entièrement décoré dans un camaïeu de mauves. De lourds rideaux de satin masquaient la baie vitrée. Du vase posé sur la table explosait un bouquet rouge sang. Un parfum enivrant, les lumières tamisées... Suzanne étouffait.

Fanny était allongée sur un canapé, un verre vide à portée de la main. Elle portait un pantalon moulant noir et un corsage au décolleté plongeant. Ses cheveux, noir de jais, brillants, étaient coupés à la dernière mode. Elle se leva d'un mouvement gracieux.

— Bonsoir, entrez. Gérard chéri, occupe-toi des cocktails. Tu sais où trouver les bouteilles. Je reprendrais volontiers ma boisson préférée. Tu sais laquelle... Asseyez-vous, mon enfant. Delia, c'est bien cela ?

— Della.

— Ah, oui, Della. Quel prénom ravissant ! Et votre robe ! Superbe. Les jeunes filles sont toujours si jolies en rose. Cependant, à mon avis, il vous faudra acquérir un teint plus cuivré. Où étiez-vous pour les sports d'hiver, ma chère, au Groenland ?

Fanny s'esclaffa, très fière de sa plaisanterie.

— En Angleterre, répliqua sèchement Suzanne. On bronze rarement à Londres en plein mois de décembre. Puis-je avoir un citron pressé, s'il vous plaît, Gérard ?

Elle crut déceler une lueur amusée dans son regard. Elle se trompait certainement...

— Un citron pressé ? Voilà une boisson tout à fait inoffensive !

Fanny s'approcha de lui.

— Gérard chéri, ne la taquine pas ainsi. Et surtout, ne l'encourage pas à la boisson.

Il se tourna vers Suzanne.

— Vous ne pouvez pas me reprocher cela, Della !

Elle ne répondit pas. Elle les observait, tous deux, l'un à côté de l'autre. Gérard, grand, athlétique, élégant, au sourire charmeur... Fanny, élégante et sophistiquée. Ils étaient du même monde, ils considéraient la vie en général sous le même angle, ils parlaient le même langage... Ils attendaient les mêmes choses de l'amour, conclut-elle avec un petit pincement de cœur. Elle étouffa un bâillement et porta son attention sur le vase.

— Non, non, fit-elle, feignant l'indifférence.

Fanny but une gorgée de son apéritif.

— Pourquoi êtes-vous restée à Londres en plein hiver, ma chère ? A cause d'un petit ami ?

— Je travaillais.

Fanny ne put réprimer un cri d'horreur.

— Vous n'êtes pas une de ces femmes passionnées par une carrière, j'espère ? Elles me terrorisent !

Gérard apporta son verre à la jeune fille. Il l'examinait attentivement.

— Je ne faisais rien d'extraordinaire. J'étais secrétaire.

Fanny écarquilla les yeux, abasourdie.

— Secrétaire ? Vous vous rendiez à un bureau chaque matin ?

— Oui.

— Ça alors ! s'exclama Fanny avec force. Chacun ses goûts, remarquez. Moi, je deviendrais folle, si je me voyais obligée de travailler huit heures par jour.

La conversation fut interrompue par l'irruption de Sébastien, vêtu d'un jean et d'une chemisette blanche à pois bleus. Il se précipita vers Suzanne et s'écroula à ses pieds en lui prenant les mains.

— Je craignais que vous ne veniez pas. Vous allez bien ?

Elle lui sourit.

— Fort bien, merci. Et vous ?

Il fit une grimace éloquente.

— Oui, oui... Nous avons eu un petit problème, n'est-ce pas ? Nous y retournerons demain.

— Certainement pas, intervint Gérard. Della viendra avec moi, demain.

Rougissant, Sébastien baissa la tête. Suzanne éprouva un élan de pitié envers lui.

— Bien sûr, marmonna-t-il. Vous êtes un expert !

— Exactement, acquiesça Gérard.

Fanny posa délicatement sa tête sur l'épaule de son ami.

— C'est normal, Gérard excelle en tout.

Il la gratifia d'un sourire indulgent. Suzanne se retenait de hurler. N'avait-il pas dit un peu plus tôt : « Le Ciel me préserve des chipies de votre espèce » ?

Fanny était l'exemple même d'une femme riche, gâtée, adulée par tous... Elle se tourna vers son frère avec une moue méprisante.

— Rends-toi utile, Sébastien. Va dire à Owen que nous sommes prêts à dîner, veux-tu ?

Sébastien s'exécuta sans protester. Sa sœur remarqua en levant les yeux au ciel.

— Quel paresseux ! C'est un bon à rien !

— Voyons, Fanny, n'exagérons rien. Et sa musique ?

— Sa musique, cette cacophonie, plutôt ! C'est une excuse pour ne pas travailler. Il est insupportable ! Papa l'a renvoyé avec moi ici car il cherchait à tout prix à se débarrasser de lui.

— Vous êtes très différents, tous les deux. C'est ce que tu lui reproches le plus, n'est-ce pas ?

Elle laissa courir ses doigts élégants le long du bras de Gérard.

— Tu ne peux pas comprendre, chuchota-t-elle. Donne-moi à boire, veux-tu, chéri ?

Sébastien réapparut quelques minutes plus tard.

— Le repas arrive ! annonça-t-il à la cantonade en s'installant près de Suzanne.

— Ne t'assieds pas ! Sors la table et dispose les chaises... Ces appartements sont minuscules, soupira Fanny.

— Oh, par pitié, tais-toi ! Tu ne cesses de te plaindre !

Vexée, elle riposta :

— Les petits garçons sages ne parlent que lorsqu'on s'adresse à eux.

— Allons, allons, interrompit Gérard en revenant vers elle avec un second cocktail... Arrêtez de vous disputer, tous les deux. Della est très embarrassée.

Suzanne était surtout écœurée. D'après elle, on n'invitait pas ses amis à dîner pour se comporter devant eux de cette manière grossière ! Gérard, lui, ne semblait pas s'en offusquer. Il traitait Fanny avec indulgence, comme si elle avait été un chaton joueur... chaton d'autant plus adorable qu'il n'hésitait pas à sortir ses griffes.

— Ne faites pas attention, Della, lui conseilla-t-il, tolérant et patient.

Sur ces mots, il se tourna vers Sébastien pour l'aider à bouger la table. Le meuble était lourd, mais Suzanne remarqua avec quelle aisance il s'en emparait. Il plaça ensuite deux chaises de chaque côté de la table. Gérard évoluait avec élégance et assurance : sans doute avait-il accompli cette tâche de nombreuses fois. Suzanne se demanda combien de temps elle devrait attendre après le repas pour prétexter une migraine et s'esquiver discrètement.

L'atmosphère se détendit au cours du dîner, grâce au plat principal, apporté par une jolie Antillaise au sourire engageant. Elle leur présenta la grande spécialité d'Owen : la soupe de tortue.

— Nous devrions informer Della des curiosités qui font la réputation des îles Caïmans. Nous avons des banques, des timbres postaux, et des tortues.

— Des tortues ? s'enquit-elle, étonnée.

Il se pencha par-dessus la table. A ses côtés, Fanny mangeait du bout des lèvres, l'air passablement ennuyé.

— L'histoire de cet archipel diffère radicalement de celle des autres îles des Antilles. Au début, celles-ci étaient désertes. Seuls y vivaient des oiseaux, quelques animaux et, dans la mer, les tortues. Des tortues géantes, vertes. Il y en avait des milliers. Puis, au cours du XVIIe et du XVIIIe siècle, des hommes sont venus s'échouer sur les récifs avec leurs majestueux navires. Ils se sont nourris de chair de ces bêtes et l'ont trouvée excellente. Par la suite, les bateaux pirates ont fait escale ici pour s'approvisionner, afin de ne manquer de rien pendant leurs

102

voyages. La viande demeurait fraîche très longtemps : il suffit de mettre une tortue sur le dos, elle
ne peut pas s'enfuir, mais elle ne meurt pas avant
plusieurs semaines.

Suzanne fixa sa soupe, qu'elle trouvait jusqu'à
présent délicieuse, et fit une grimace.

— C'est affreux ! Je comprends à présent pourquoi la tortue d'Alice au Pays des Merveilles pleurait
sans cesse !

Gérard rit de bon cœur, mais Fanny intervint d'un
ton agacé.

— De quoi parlez-vous à la fin ?

— Tu n'as jamais lu ce conte ?

Elle bâilla en lui tendant son verre.

— Les histoires pour les enfants ne m'intéressent
guère.

Gérard adressa un clin d'œil complice en direction
de Suzanne.

— Je vous raconterai la suite un autre jour.

La jeune fille en éprouva un bonheur indescriptible. Qu'il était beau, quand il souriait ainsi, sans
trace de moquerie ! Elle était euphorique : triomphante, elle constata qu'elle avait gagné un point sur
Fanny. C'était absurde, bien sûr, puisqu'elle se
désintéressait de Gérard...

A la fin du repas, Suzanne et Sébastien portèrent
les assiettes et les verres à la cuisine. Gérard proposa
de préparer le café.

— Celui de Fanny est imbuvable, grommela-t-il,
c'est pourquoi je préfère m'en charger.

Fanny était très agitée. Elle arpentait la pièce de
long en large, sa tasse à la main. Enfin, elle s'arrêta
devant la fenêtre, tira les rideaux, repoussa la vitre
et demeura un moment immobile, le regard fixé sur
la nuit étoilée. Gérard la rejoignit. Tous deux
murmurèrent quelques mots, éclatèrent de rire...

Sébastien avait disparu. Il revint bientôt avec sa

guitare. Après avoir approché une chaise devant Suzanne, il entreprit d'accorder son instrument.

Fanny se retourna vers eux. Elle posa un bras possessif sur l'épaule de Gérard, se blottit contre lui.

— Si nous laissions ces enfants à leur musique ? Allons marcher au clair de lune.

Elle lui décocha un sourire charmeur en battant des cils. Qu'attendait-il pour la soulever dans ses bras et leur donner la grande scène du baiser final ? se demanda Suzanne, exaspérée.

Elle s'efforçait de ne pas les regarder, mais, malgré elle, ses yeux revenaient sans cesse sur le couple debout à la fenêtre. Gérard enlaça la taille de la jeune femme et frotta sa joue sur la chevelure brillante.

— Pourquoi pas ?

Son ton était empreint d'ironie. Ils s'aiment ! se dit Suzanne, la gorge serrée, le cœur lourd. Affolée par la violence de ses émotions, elle les vit sortir sur la terrasse. Sébastien les observait lui aussi. Il lança, sarcastique :

— Je vous l'avais bien dit ! Fanny est folle de lui ! annonça-t-il en plaquant un premier accord... La-la-la !... Cela vous ennuie ?... Je veux dire, de les voir ainsi ensemble...

— Pas du tout, s'exclama-t-elle avec un petit rire forcé. Continuez, je vous écoute.

Il hocha la tête, satisfait, pencha le menton en avant et se mit à improviser.

Enfoncée dans les coussins, Suzanne était en proie au désespoir. La jalousie rongeait son âme. Cette fois, elle ne pouvait le nier : elle était amoureuse de Gérard North. Profondément.

Cette constatation la décontenança complètement. Elle n'avait plus aucune envie d'entendre les chansons romantiques de Sébastien. Elle aurait préféré une marche funèbre...

Il se leva pour éteindre toutes les lampes, sauf une.

— Cela fait plus intime, expliqua-t-il avec un sourire plein de sous-entendus.

Suzanne était à l'agonie ! Les mélodies se succédaient, languissantes, sentimentales. Dehors, le ciel tropical scintillait d'étoiles. Elle pensait à Gérard et à Fanny... Où étaient-ils, de quoi parlaient-ils ?

Sébastien poursuivait son récital, sans s'apercevoir de rien.

— J'aime beaucoup celle-là, déclara-t-elle enfin.

— C'est vrai ? C'est la meilleure d'après moi.

— Reprenez-la, je vous en prie... Oui, c'est très bien.

Suzanne était incapable de juger de la valeur de cette œuvre d'un point de vue commercial, mais elle était certaine d'en avoir entendu de moins bonnes au hit-parade. Celle-ci s'intitulait « Aime-moi le matin ».

— Vous devriez la faire éditer, fit-elle.

Sébastien posa sa guitare en s'armant de son sourire de clown triste.

— C'est sans espoir ! soupira-t-il. Dans ce métier, il est indispensable d'avoir des relations. Ensuite, il faut être introduit dans un studio pour l'enregistrement. Et là, même si la cassette est jugée bonne, je ne suis pas du tout sûr d'être écouté par les gens de la radio.

Une vague de pitié submergea la jeune fille. Il était si malheureux... un enfant perdu ! Comment le réconforter ?

— Je ne sais pas si cela peut vous être utile, mais je connais quelqu'un, un chanteur. Je ne peux rien vous promettre, mais si je lui envoyais un enregistrement, il l'écouterait attentivement et vous donnerait son avis.

Le visage de Sébastien s'illumina.

— C'est vrai ? Oh ! Ce serait formidable ! Comment s'appelle-t-il ?

— Vic... Vic Wild. Ces jours-ci, il effectue une tournée à travers les Etats-Unis et le Mexique avec son orchestre.

— Vic Wild ? J'ai déjà entendu parler de lui. Il a beaucoup de succès, en ce moment... Oh, Della ! Vous feriez cela pour moi ?

— Oui, bien sûr !

Il se précipita au premier étage et revint, en brandissant une cassette.

— J'ai préparé celle-ci la semaine dernière pour donner une idée générale de mes compositions. Evidemment, l'effet sera tout autre avec une véritable orchestration.

— Vic comprendra très bien.

— Quelle joie ! J'aurai au moins un avis sincère et objectif. Je ne m'attends pas à des félicitations mais il me dira si cela vaut la peine de continuer ou non...

Suzanne se leva.

— Je la lui envoie dès demain. Cela ne vous ennuie pas trop si je vous abandonne maintenant, Sébastien ? Je suis lasse.

Il se leva vivement.

— Ah, oui, vous devez être épuisée après toutes les aventures de cette longue journée... Je suis désolé pour cet après-midi. J'ai agi sans réfléchir, comme un sot.

Elle lui serra le bras pour le rassurer.

— C'est oublié.

Sébastien l'accompagna jusqu'à la porte d'entrée de l'appartement voisin.

— Merci encore, Della, vous êtes vraiment adorable ! s'exclama-t-il en l'embrassant sur la joue. Ce Vic Wild... Est-il votre petit ami ?

— Si l'on veut, murmura-t-elle, lointaine.

— C'est ce que je craignais... Bonsoir, Della.

106

Elle monta se coucher immédiatement. Ce soir, elle ne prendrait pas la peine de verrouiller la porte de sa chambre. Ce serait une précaution inutile, puisque Fanny était revenue.

Elle demeura éveillée un long moment, accablée. Gérard reviendrait-il ici ce soir ?

Il rentra. Il devait être deux heures du matin quand elle perçut un bruit de pas dans le corridor. Son soulagement était tel qu'elle se mit à trembler de tous ses membres ! Malgré tout, elle ne trouva pas le sommeil avant l'aube.

Les rayons du soleil se déversaient sur son lit quand elle se réveilla enfin, la tête lourde. Puis elle aperçut la cassette dans sa boîte en plastique, munie d'une étiquette vert pomme. Les événements de la veille lui revinrent à la mémoire d'un seul coup. Elle étouffa un sanglot.

Etait-elle folle de s'amouracher d'un homme quarante-huit heures après leur première rencontre ? Non, elle n'avait même pas attendu deux jours... Elle l'avait aimé dès le premier instant quand elle l'avait vu venir vers elle dans le hall de l'aéroport ! Malheureusement, le coup de foudre n'était pas réciproque. Gérard la considérait comme une petite fille égoïste, irresponsable, indigne de son intérêt !

Ses yeux se voilèrent de larmes. Mais il ne servirait à rien de pleurer, de se lamenter sur son triste sort. Dans quelques jours, tout s'arrangerait. Ce serait la fin de cette sinistre comédie. Suzanne rentrerait chez elle, à Londres et retrouverait ses habitudes dans un milieu qu'elle connaissait bien. Elle oublierait.

Elle se leva, prit une douche revigorante et s'habilla. Puis elle s'examina d'un œil critique dans la glace de sa coiffeuse. D'affreux cernes mauves soulignaient ses grands yeux noisette. Elle était très pâle.

« Où avez-vous séjourné pour les sports d'hiver, ma chère, au Groënland ? » Elle imita la voix rauque et sensuelle de Fanny, parodiant ses gestes et ses attitudes. Puis elle s'adressa une grimace horrible... Les larmes menaçaient de prendre le dessus. Elle s'appliqua vivement une touche de rouge à joues sur les pommettes et descendit.

Adèle s'activait dans le salon en chantonnant une mélodie folklorique. Elle accueillit Suzanne avec un sourire radieux.

— Bonjour, Miss, vous avez bien dormi ? M. North est sorti. Il n'a pas voulu vous déranger. Il rentrera en fin de matinée et vous emmènera plonger... C'est un homme si charmant !

— Oui, oui, approuva-t-elle, indifférente.

Adèle épousseta la table basse d'un geste caressant.

— Miss Lord est terriblement curieuse ! Elle m'a demandé hier ce qui se passait entre vous deux. Tout à l'heure, je pourrai lui annoncer que M. North n'a pas dormi dans son lit cette nuit.

Suzanne sursauta.

— Je vous demande pardon ?

— C'est merveilleux, je trouve ! approuva Adèle, ravie. Vous et M. North, vous formez un couple parfait, lui avec ses cheveux noirs, vous si blonde. Miss Lord... Pfff !

D'un coup d'ongle méprisant, elle envoya voler une miette récalcitrante. Suzanne était abasourdie.

— Adèle, je vous recommande de ne rien raconter à Miss Lord. D'ailleurs, vous vous trompez. M. North s'est installé dans sa propre chambre.

— Venez voir...

Interdite, Suzanne lui emboîta le pas. Elles montèrent au premier étage et s'arrêtèrent au seuil de la pièce.

— Regardez! reprit Adèle, avec un clin d'œil complice, enchantée de sa découverte.

En effet, le lit de Gérard était impeccable... Pas le moindre faux pli!

— Il... Il a dû le faire lui-même ce matin avant de partir.

Elle se sentait ridicule! Ses joues étaient écarlates et elle balbutiait comme une écolière timide. Adèle baissa pudiquement les paupières.

— Ah, bien sûr, je n'y avais pas songé. Jamais encore il n'a fait son lit lui-même, alors... Vous êtes très jolie quand vous rougissez, Miss... Bien, j'ai fini mon travail, je m'en vais. Je vous verrai demain, sans doute?

Suzanne redescendit à la cuisine où elle prépara un café brûlant et deux tartines grillées. Elle but et mangea en arpentant la salle de long en large. Elle était trop agitée pour s'asseoir. A quoi jouait Gérard? Elle n'y comprenait plus rien? Si Adèle lui avait dit la vérité... et pourquoi la soupçonner de mentir... il avait donc l'intention de faire croire à ses voisins que Suzanne et lui avaient des relations intimes car il se doutait qu'Adèle le répéterait à Fanny. Mais pour quelle raison voudrait-il la convaincre de cela? Après tout, il était resté avec elle jusqu'au petit matin...

Suzanne décida de chasser ces réflexions embrouillées de son esprit. Elle se rendit dans le salon pour écrire une lettre à Della et à Vic.

Elle n'avait pas grand-chose à leur raconter car elle leur avait presque tout dit au téléphone. La jeune fille put cependant leur donner quelques précisions sur l'état de santé d'oncle Ben.

« Il sera probablement de retour dans une semaine », précisa-t-elle. « Cela vous laisse-t-il suffisamment de temps pour changer vos projets? Je pense lui écrire à l'hôpital pour lui expliquer la situation. Le choc serait trop grand pour lui, s'il rentrait pour me découvrir ici à la place de Della. Il a été si malade, je ne veux pas lui infliger une émotion supplémentaire. Je promets d'être pleine de tact. »

Puis, s'adressant plus particulièrement à Vic, elle décrivit le récital de Sébastien.

« ... Je lui ai proposé de vous envoyer une cassette de ses chansons. Je les ai trouvées plutôt bonnes, mais je suis mauvais juge en la matière. Voulez-vous me rendre ce service, Vic ? Ecoutez-les, et donnez-lui votre avis sincèrement. Il ne demande rien. C'est un peu audacieux de ma part, je le sais, mais Sébastien est adorable. J'aimerais l'aider dans la mesure du possible... Amusez-vous bien, tous les deux, profitez pleinement de votre séjour. Je suis enchantée. Tout se passe bien. Aujourd'hui, j'irai sans doute plonger dans le lagon. C'est un de mes loisirs préférés. »

A la dernière minute, avant de cacheter sa lettre, elle rajouta un post-scriptum au bas de la page.

« Avez-vous été surpris d'entendre ma voix langoureuse, au téléphone, Vic ? Comme vous avez dû le comprendre, ce M. Gérard North était dans la pièce. Il partage cet appartement avec oncle Ben. Je le trouve terriblement arrogant et autoritaire, mais nous arrivons à nous entendre. Je n'ai pas pu lui dévoiler la vérité : il aurait sans doute tout gâché. Apparemment, il connaît bien le père de Della. Il a cru que vous étiez mon petit ami. Je n'ai pas voulu le détromper. »

Après avoir trouvé une enveloppe, elle inscrivit l'adresse de leur hôtel à Miami et mit le tout dans son sac à main. Puis elle alla admirer la vue.

Le lagon était si beau, si paisible ! De l'autre côté du récif, l'eau était d'un bleu intense. Elle avait tout lu sur la plongée « par-dessus le mur », c'est-à-dire l'endroit où le lit de la mer descend jusqu'à une profondeur insondable. C'est le paradis du plongeur. Malheureusement, elle ne verrait jamais ces trésors de la vie sous-marine, Gérard le lui interdirait.

Gérard. A l'évocation de son nom, son cœur se serra douloureusement. Elle s'efforça d'éprouver de la colère contre lui. Ce fut peine perdue. Elle s'installa sur le canapé pour feuilleter une revue.

Son hôte surgit vers onze heures.

— Vous n'êtes pas encore prête ? J'avais donné des instructions précises à Adèle.

Suzanne délaissa son article sur l'Himalava.

— Vous êtes rentré fort tard cette nuit, je pensais que vous aviez changé d'avis.

— Pas du tout. Je vous avais fait une promesse... Qu'y a-t-il, Della ? Vous boudez ?

Elle lui adressa un regard accusateur en se levant.

— Pourquoi avez-vous fait votre lit ce matin ?

— Pourquoi ai-je f... De quoi parlez-vous ?... Ah, oui, poursuivit-il en souriant... Eh bien, pourquoi pas ? J'ai reçu une stricte éducation, ne vous en déplaise. On m'a appris à faire mon lit le matin, comme tout le monde. Cela m'arrive souvent.

— D'après Adèle, ce n'est pas le cas. Elle m'a affirmé le contraire.

Il haussa les épaules.

— Et alors, quelle importance cela peut-il avoir ?

— Justement, c'est grave ! Elle s'apprête à raconter des mensonges à Miss Lord... Cela vous amuse, je suppose, de dresser deux femmes l'une contre l'autre ? Je trouve cela stupide, et je vous prie de m'exclure de vos subtiles manigances à l'avenir.

— Vous avez peur que votre petit ami l'apprenne ?

— Oh, taisez-vous !

Elle s'esquiva vivement et sortit sur la terrasse. Gérard la rattrapa aussitôt.

— Je suis rentré exprès pour vous emmener plonger, déclara-t-il d'une voix chagrine, et certainement pas pour écouter les doléances d'une femme en colère. Voulez-vous venir avec moi, oui ou non ? Si oui, je vous suggère de rassembler votre matériel.

Et voilà ! Une fois de plus, elle se trouvait en position d'infériorité. Elle se voyait obligée d'obéir à des ordres prononcés d'un ton sans réplique. La situation était exaspérante. Pourtant, elle ne pouvait refuser son invitation.

— J'arrive dans deux minutes.

Dans sa chambre, elle revêtit un bikini noir, d'une sobriété exemplaire. Par-dessus, elle enfila un pantalon de toile blanc et un chemisier. Puis, saisissant un grand cabas, elle y jeta une serviette, un tube de crème à bronzer, une brosse à cheveux et sa paire de lunettes de soleil. A la dernière minute, elle se rappela la lettre destinée à ses amis. Elle la prit au passage : ils devaient à tout prix la recevoir avant leur départ pour le Mexique.

Gérard l'attendait dans la voiture. Il se pencha de côté pour lui ouvrir la portière.

— J'ai tout mis dans le coffre.

— Nous ne partons pas d'ici ? s'enquit-elle, surprise, en jetant un coup d'œil vers la plage.

Il avait déjà une main sur le levier de changement de vitesse.

— J'ai mes coins favoris... Montez.

— Pourrions-nous nous arrêter sur le chemin ? J'ai une enveloppe à poster.

— Elle est timbrée ?

— Non. Je ne connais pas les tarifs. En réalité, c'est un petit paquet.

Il soupira, irrité.

— Bien, dans ce cas, nous irons vers le nord. Nous la mettrons à la poste de Hell.

— Vous ne vous ennuyez jamais, ici ? lui demanda-t-elle après un court silence morose.

Il ne quittait pas la route des yeux.

— Chaque chose a ses avantages et ses inconvénients. Une île paradisiaque, c'est très bien, mais je suis ici depuis maintenant trois ans. Je serai content de retrouver Londres, avec ses rues sombres et sa grisaille.

Il conduisit sans mot dire pendant plusieurs minutes jusqu'à ce qu'ils arrivent à un croisement. D'un signe de la tête, il désigna un poteau marquant l'entrée d'une propriété.

— C'est un élevage de tortues, expliqua-t-il. Encore une attraction de choix pour les touristes. Ils s'occupent de soixante-dix mille bêtes, paraît-il.

— Juste ciel ! s'exclama-t-elle, stupéfaite. Les habitants de ces îles doivent raffoler de la soupe de tortue !

La plaisanterie était d'un goût douteux mais il aurait pu au moins sourire. Cette expédition promettait d'être ennuyeuse à périr !

Un instant plus tard, Gérard coupait le contact. Un bout de bois sommaire supportait un panneau annonçant : Hell — Poste. Au bout d'un chemin sinueux bordé de parterres fleuris, on apercevait une hutte. Suzanne ne put s'empêcher de sourire.

— C'est pittoresque !

— Donnez-moi votre lettre, je vais la poster. Il doit y avoir un monde fou. J'attirerai plus vite l'attention que vous.

Elle n'en doutait pas. Il fendrait la foule, tel un hors-bord sur la mer. Elle étouffa un fou rire nerveux.

— Donnez-moi ça ! ordonna-t-il, impatienté, en tendant sa main.

Elle sortit de son sac le petit paquet.

— Qu'y a-t-il là-dedans ? s'enquit-il en l'exami-
nant avec curiosité... C'est taxable ?

— Je n'en sais rien, je ne m'étais pas posé la
question. C'est une cassette.

Il lut l'adresse.

— Le pauvre ne peut sans doute pas vivre sans
entendre la voix de sa Delia chérie..., lança-t-il
sarcastique.

Sur cette remarque désagréable, il descendit du
véhicule. Suzanne était ulcérée. Comment avait-elle
pu penser un seul instant être amoureuse d'un
monstre pareil ?

Il revint très vite et se glissa derrière le volant sans
mot dire.

— Combien vous dois-je ? Je vous rembourserai
dès notre retour.

— Oubliez cela, j'offre à votre fiancé le plaisir de
vous écouter, assura-t-il avec un large sourire satisfait. C'est le moins que je puisse faire pour lui,
puisque j'ai le modèle original en ma possession
pour le moment.

Il démarra de nouveau et effectua une marche
arrière avant d'ajouter, d'un ton taquin :

— Il savait quels étaient les risques encourus,
quand il vous a autorisée à partir. En tout cas, je
l'espère pour lui.

Le vrombissement du moteur épargna à Suzanne
l'effort de répliquer. Elle appuya la tête contre le
dossier de son siège, savourant la douceur du soleil
sur son front. La brise caressait ses cheveux blonds.
Elle était adorable, ravissante... Une jolie jeune fille
sans soucis, profitant de vacances dans une île
tropicale en compagnie d'un homme séduisant.

Mais tous ses sens étaient en éveil. Douloureusement, car Gérard avait brusquement changé d'hu-

114

meur et grâce à cela, l'atmosphère s'était transformée. L'après-midi promettait d'innombrables découvertes. Les heures à venir seraient emplies de danger, de folie et de passion.

7

Trois kilomètres plus loin, Gérard gara la voiture dans une petite clairière à l'écart de la route. Il coupa le contact et soupira.

— Je préfère éclaircir tout de suite le mystère du lit. Je suis désolé de vous avoir impliquée dans cette histoire. Je n'aurais pas osé si je n'avais été désespéré.

Elle eut un brusque mouvement de la tête.

— Désespéré ?

— Oui. Fanny entend déjà sonner les cloches de notre mariage et je tenais à la décourager sans en avoir l'air. J'ai voulu lui faire comprendre que j'ai mes occupations... ailleurs. Je savais quelles conclusions Adèle tirerait de sa découverte ce matin. Elle n'a probablement pas hésité à transmettre la nouvelle à Fanny.

— Vous êtes démoniaque ! Pourquoi ne pas le lui avoir dit, tout simplement, sans m'inclure dans cette affaire ?

Il prit un air penaud.

— Ce n'est pas si simple que ça en a l'air... Le père de Fanny Lord est un des clients les plus choyés de notre compagnie. Il a beaucoup d'influence...

— Ainsi, d'après vous, Fanny pourrait chercher à nuire à votre carrière ? Quel dommage !

— Croyez-le ou non, Della, soupira-t-il, je suis loyal envers ceux pour lesquels je travaille.

Oui, je vous crois, pensa-t-elle en scrutant son profil aux traits volontaires. Malheureusement, vous ne daignez pas appliquer votre code moral à votre vie privée. Gérard North était de ces hommes qui utilisent les femmes quand l'envie les prend et qui les délaissent aussitôt. C'était clair...

Et celles qui se jetaient dans ses bras adoptaient probablement le même genre de comportement envers leurs compagnons. Elles se satisfaisaient très bien de leurs aventures sans lendemain. Suzanne ne se classait pas dans cette catégorie. Elle n'était pas de leur monde, elle prenait l'amour au sérieux. Pourquoi, alors, cette sensation de joie à l'idée de savoir que Gérard ne voulait pas de Fanny?... Il tourna la tête vers elle.

— Vous me pardonnez?

— De toute façon, il est trop tard pour y remédier, répliqua-t-elle en haussant les épaules.

Pourtant, elle ne put se résoudre à abandonner tout de suite le sujet. A sa grande surprise, elle s'entendit poursuivre :

— ... Sébastien était persuadé que vous alliez épouser Fanny.

— Ah, oui? Pour rien au monde!... s'exclama-t-il avec un large sourire.

— Elle est jolie.

— C'est possible. Elle est aussi égoïste et hypocrite. Elle n'a pas peur de mentir pour obtenir satisfaction.

Gérard demeura silencieux un long moment. Le regard lointain, il fixait sans le voir le feuillage luxuriant effleurant le pare-brise.

— J'ai grandi dans un foyer heureux, murmura-t-il enfin. Mes parents s'entendaient à merveille. Ils avaient confiance l'un dans l'autre, ils se respec-

117

taient. Je ne me contenterai jamais d'une relation superficielle... Le jour où je rencontrerai une jeune fille capable de dire la vérité, je songerai à en faire ma femme. A présent, venez, déchargeons le matériel.

Tous deux sortirent l'équipement du coffre.

— Aujourd'hui, annonça-t-il, nous nous contenterons d'utiliser nos masques et nos tubes. Je veux voir de quoi vous êtes capable avant de vous lâcher en toute liberté avec une bouteille d'oxygène sur le dos. A propos, j'ai pris la précaution d'apporter des boissons fraîches : nous mettrons ces thermos à l'ombre... Pouvez-vous les porter ? Je me charge du reste.

Il la conduisit le long d'un sentier tortueux disparaissant parmi les buissons. Suzanne lui emboîta le pas, songeuse. Elle réfléchissait à leur récente conversation. Cependant, quand elle aperçut la minuscule baie devant laquelle ils émergèrent tout d'un coup, elle s'extasia.

— Oh !... Quelle merveille ! s'écria-t-elle, ébahie par tant de beauté. J'ai l'impression de me trouver dans une île déserte.

Palmiers et plantes fleuries dégringolaient presque jusqu'au bord de l'eau. Devant eux, la mer étincelait sous le soleil... Gérard cessa une seconde de trier le matériel et sourit.

— Je savais que l'endroit vous plairait.

Il était très différent... moins agressif, plus détendu. Quel soulagement, après sa mauvaise humeur au début de leur excursion ! Peut-être s'était-il senti coupable de l'avoir impliquée malgré elle dans son problème avec Fanny ? Suzanne n'osait y croire, mais c'était possible. Son cœur bondit de joie.

Elle s'assit sur un tronc d'arbre déraciné, décoloré par le soleil, et ôta sa blouse. Un goéland atterrit à quelques mètres de là et sembla la fixer longuement, d'un air songeur.

— Va-t'en ! ! ordonna-t-elle en riant. Tu es indiscret !

Gérard la détailla, admiratif.

— Il est peut-être indiscret, mais en tout cas, il a bon goût.

Confuse, rougissante, Suzanne se précipita sur son masque. Ses doigts tremblaient tandis qu'elle essayait en vain de serrer l'attache.

— Attendez, je vais vous aider.

Gérard était tout près d'elle... trop près. Elle sentit sa main effleurer son front. Elle retint sa respiration. Puis, il glissa un doigt le long de sa nuque. Il avait les yeux brillants et soupira.

— Je risque d'avoir grand mal à me maîtriser, Della Benton.

Un petit cri lui échappa. Elle s'éloigna d'un saut leste.

— Si je me souviens bien, nous sommes venus ici dans un but précis : plonger ! protesta-t-elle.

— D'accord, d'accord, vous avez gagné.

Il ne chercha pas à la rattraper. Il ramassa leurs palmes et prit le chemin vers la mer.

A la grande surprise de Suzanne, leur équipée se révéla fort plaisante. Elle s'était attendue à recevoir des ordres péremptoires de la part de son compagnon. Il se contenta de lui prodiguer quelques conseils, d'un ton indulgent.

— Restez près de moi. Si je vous fais signe, remontez immédiatement à la surface. Ça va aller ?

Suzanne se remémora toutes les règles de ce sport mentalement. Surtout : ne pas prendre une trop grande inspiration. Si les oreilles bourdonnent : se boucher le nez et expirer lentement par la bouche. Pour son premier essai, elle ne vit pratiquement rien, ses efforts se concentraient essentiellement sur la technique. Mais bientôt, elle reprit confiance en elle. Gérard l'autorisait à descendre plus bas, à rester plus longtemps sous l'eau. Elle le savait là, tout près d'elle, vigilant.

Dès sa troisième tentative, elle put s'émerveiller. Quelle symphonie de couleurs et de formes! Les coraux représentaient tous les objets imaginables : colonnes étroites rappelant les grandes orgues d'une cathédrale, énormes rochers flottants d'où s'échappaient des sortes d'arbres de dentelle. Le tout dans un splendide camaïeu de roses, de bleus, de verts et de blancs.

Ils refirent surface pour la septième fois. Gérard repoussa son masque sur son front.

— Cela suffit pour l'instant.

Cette fois, il ne vint pas à l'idée de Suzanne de protester... Le soleil était brûlant. Par bonheur, la brise douce était rafraîchissante. Ils s'allongèrent à l'ombre d'un arbre.

— C'était extraordinaire, murmura Suzanne.

Gérard sortit les gourdes et lui offrit un gobelet de jus de fruits.

— Vous nagez comme un poisson. Pourquoi ne pas m'avoir dit combien vous étiez douée ?

— Vous ne m'avez pas posé la question, répliqua-t-elle, flattée. Vous avez supposé que j'étais une novice.

— Vous avez déjà plongé. Souvent, si j'en juge par votre comportement sous l'eau. Vous avez un certificat ?

— Oui. Le B.S.A.C.

— Parfait. Mike vous accueillera à bras ouverts. Il vous emmènera dans son bateau pendant mon absence.

— Vous partez ?

— Oui. Cela m'ennuie, malheureusement je m'y vois contraint. Un de nos clients les plus importants entreprend un projet colossal de construction à Tobago. Je dois me rendre là-bas afin de vérifier si tout est en ordre pour le contrat.

— C... Combien de temps cela durera-t-il ? demanda-t-elle en dissimulant un sanglot derrière une quinte de toux.

— Je l'ignore. Je tâcherai de réduire ce séjour à moins d'une semaine. Nous retournerons plonger ensemble, de l'autre côté du récif. Je connais des endroits exceptionnels.

Il s'adossa contre un arbre.

— ... Que s'est-il passé hier avec Sébastien ?

Rougissante, elle se détourna.

— Cela n'a plus aucune importance.

— Je crois pouvoir le deviner... Apparemment, j'ai supposé d'innombrables interprétations à votre sujet. Je vous ai mal jugée, Della...

Il posa sa tasse pour se rapprocher d'elle. Le cœur battant, Suzanne sirotait son jus de fruits, terriblement consciente de la sensation de trouble qui l'envahissait, une fois de plus. Elle aurait dû se lever, trouver une riposte pleine d'esprit pour briser ce silence insupportable ! Ses membres refusaient de lui obéir. Les mots s'étranglaient dans sa gorge.

Enfin, il se leva. Il prit le gobelet et le posa à terre. D'une légère pression sur les épaules de la jeune fille, il la poussa doucement sur le sable chaud.

— Vous êtes si belle ! souffla-t-il.

Le visage de Gérard était à quelques centimètres à peine du sien. Comme elle avait envie d'effleurer cette bouche du bout du doigt !

— Ce garçon, marmonna-t-il... Ce Vic dont vous prétendez être amoureuse... Vous voulez l'épouser ?

Elle secoua lentement la tête.

— Il a trouvé quelqu'un d'autre ?

— Oui, chuchota-t-elle... Oui, c'est cela.

Elle ne pouvait attendre davantage. Nouant ses

mains autour du cou de Gérard, elle l'attira vers elle. Lèvres entrouvertes, elle s'abandonna à l'extase de sa passion. Un frémissement de bonheur la parcourut, délicieux, sensuel. Ses doigts caressaient sa chevelure brune, soyeuse. Elle vivait intensément l'instant présent. Tous ses doutes, toutes ses craintes s'étaient dissipés.

Puis, brutalement, il redressa la tête. Elle l'entendit marmonner un juron. Elle le vit s'éloigner légèrement, mais, encore hébétée, elle ne se rendit pas compte de ce qui se passait. Elle s'assit, frissonnante, éblouie par les rayons du soleil qui transperçaient les feuillages. Gérard était allongé à côté d'elle, bras et jambes en croix, sourcils froncés, l'air courroucé.

Elle suivit la direction de son regard et aperçut un homme, à dix mètres de là, tirant un canot sur le sable. Plusieurs enfants en bas âge en surgirent, hurlant de joie. L'un d'entre eux... une petite fille de trois ans environ, s'avança vers eux en brandissant un ballon gonflable deux fois plus gros qu'elle.

— Une île déserte, disiez-vous ? Cela ressemble plutôt au coin des enfants du zoo municipal !

Le père vint chercher la fugueuse, et s'excusa :

— Désolé, nous ne vous avions pas vus. Nous allons bouger. Venez... Adam, Charles, Pénélope ! Obéissez, petits diables !

Le groupe alla s'installer de l'autre côté de la baie. Gérard demeura silencieux pendant quelques minutes, puis leva les yeux vers Suzanne.

— Les îles Caïmans sont les moins peuplées de la mer des Caraïbes. Cet endroit est l'un des plus isolés que je connaisse. Pourtant, ces gens sont venus ici... Votre ange gardien vous surveillait, je suppose. Il est tard, rentrons.

Dans la voiture, Suzanne se réfugia dans un mutisme rêveur. S'ils n'avaient pas été interrompus... Elle préférait ne pas y penser. Elle l'aurait amèrement regretté. Les aventures sans lendemain ne l'attiraient guère. Gérard aurait vite oublié. Pas elle.

Une phrase revint à sa mémoire : « Quand je rencontrerai une jeune fille qui sait dire la vérité, je songerai à en faire ma femme »...

Elle, Suzanne French, mentait depuis le début ! Son sang se glaça : bientôt, il apprendrait qui elle était réellement.

Au fond, elle devait être reconnaissante à son ange gardien de l'avoir si bien surveillée...

Gérard se rendit directement à George Town et gara la voiture devant la boutique où ils avaient choisi l'équipement de Suzanne. Dès leur arrivée, un homme trapu aux cheveux roux s'avança.

— Gérard ! Comment vas-tu ? s'enquit-il en lui donnant une tape fraternelle sur le dos.

Suzanne s'attendait à le voir s'offusquer d'un tel traitement. Au contraire, il sourit.

— Bonjour, Mike... Je vous amène un cadeau. Voici la nièce de Ben Caldicott. Della, je vous ai parlé de Mike. Il connaît tout, absolument tout sur la plongée sous-marine.

Mike lui tendit une main calleuse.

— ... Della est très douée, je t'assure. Elle a son certificat B.S.A.C.

— Formidable !

— Ecoute-moi bien, Mike. Ben est encore à l'hôpital. Quant à moi, je dois me rendre à Tobago. Je compte sur toi pour distraire Della... Trouve-lui une petite place à bord de ton bateau.

— Volontiers ! Quand elle voudra : un de mes clients vient de se dédire. Une famille de Boston, le fils vient de s'enfuir en Europe. Della prendra sa place. Ils ont tous une certaine expérience en ce

123

domaine. Ils viennent régulièrement depuis trois ans et sont gentils.

Gérard porta son regard de Suzanne à Mike.

— Je vous la confie, Mike, à une condition : c'est bien le *fils* qui s'en est allé en Europe, n'est-ce pas ?

— Mais oui ! N'ayez aucune inquiétude. Venez demain matin, Della, je sors le bateau avec les Ferguson à dix heures.

— Elle sera là, promit Gérard. Son matériel est dans le coffre. Peux-tu le garder ici ?

En sortant de la boutique, Suzanne donna libre cours à son ressentiment.

— Je n'apprécie guère d'être mise entre les mains des gens de cette manière. C'est très gentil de votre part, bien sûr, mais j'...

Les mots moururent sur ses lèvres : une lueur diabolique brillait dans les yeux de son compagnon.

— Je prends toujours la précaution de mettre à l'abri tout ce auquel je tiens avant de partir, murmura-t-il en lui ouvrant la portière, avant d'ajouter d'un ton sec... Pendant mon absence, ma voiture sera au garage. Vous serez donc obligée de prendre un taxi. Allons déjeuner. Ensuite, vous pourrez m'accompagner à l'aéroport.

Ce fut presque un déjeuner d'affaires. Gérard l'emmena dans un petit restaurant près du port et l'entretint sur les détails à ne pas négliger jusqu'à son retour. Suzanne se rendait à peine compte de ce qu'elle mangeait : elle ne pouvait le quitter des yeux. « Je suis folle », se disait-elle sans arrêt, « complètement folle d'éprouver de tels sentiments envers un homme rencontré il y a quelques jours... » Mais deux jours, ou deux ans, où était la différence ? Elle s'efforça de revenir à la réalité.

— C'est à peu près tout, je crois, conclut-il en jetant un bref coup d'œil à sa montre. Je vous téléphonerai chaque soir pour prendre de vos nouvelles. Vous appellerez l'hôpital ? Les coordonnées de l'établissement sont inscrites sur le bloc-notes. Utilisez la compagnie de taxis de Ben, et dites-leur de mettre cela sur son compte. Vous saurez vous débrouiller !

La gorge serrée, elle acquiesça. Puis, tout se passa très vite. Gérard déposa son automobile au garage, en sortit sa mallette, héla un taxi. En peu de temps, ils furent à l'aéroport.

A peine avaient-ils pénétré dans le bâtiment que son vol était annoncé.

— Toujours pressé, sourit-il en se précipitant vers la porte des départs. Je craignais d'être en retard... Soyez sage, mon enfant. Et attendez-moi. Nous irons plonger de l'autre côté du récif.

Il l'entoura de ses bras et s'empara de ses lèvres avec passion.

Puis il s'en fut. Avant de disparaître au bout du large couloir, il se retourna pour la saluer d'une main. Suzanne répondit à son signe, le cœur lourd. Voilà. Il était sorti de sa vie pour toujours. C'était fini. Les yeux brouillés de larmes, elle se dirigea vers la station de taxis.

En y repensant, de longs mois plus tard, Suzanne constata combien ces cinq journées lui avaient paru pénibles. Elle aurait pourtant dû profiter de chaque minute de ces vacances de rêve !... Chaque matin, elle rejoignait Mike au port et sortait au large avec ses clients. Elle admirait beaucoup ce petit homme aux cheveux roux. La première fois, tout en l'aidant à fixer ses bouteilles d'oxygène sur son dos, il avait souri :

— Je vais devoir vous surveiller attentivement. S'il vous arrivait quoi que ce soit, Gérard m'en voudrait éternellement !

Après les deux premiers essais, cependant, il lui

permit de plonger en compagnie d'un de ses clients. En général, elle avait un membre de la famille Ferguson pour partenaire : la mère, le père, ou leur fille, Diane, une adolescente de quatorze ans encore potelée qui se prit d'amitié pour Suzanne et ne la quittait pas. Ses parents, rassurés d'avoir trouvé une jeune fille responsable et sérieuse, prête à s'occuper de Diane, l'accueillirent avec chaleur parmi eux.

Comme tous les Américains en vacances, ils voulaient visiter les moindres recoins de l'île. Suzanne les accompagnait partout. Ils se rendirent dans un élevage de tortues, celui que Gérard avait montré du doigt à Suzanne le jour de son départ. Là, ils s'extasièrent devant tous les bassins.

Un jour, M. Ferguson les emmena tout au nord. Ils traversèrent un paysage extraordinaire d'orchidées sauvages et de palmiers, sur lesquels se perchaient des perroquets multicolores.

La famille séjournait dans un des palaces bordant la plage des Sept Miles. Suzanne était conviée à dîner avec eux le soir. Si elle l'avait souhaité, elle aurait pu passer chaque heure de la journée en leur compagnie.

Mais elle avait d'autres préoccupations.

Tous les matins, elle contactait l'hôpital de Houston pour réclamer le bulletin de santé d'oncle Ben. Le mercredi... trois jours après le départ de Gérard, le chirurgien lui annonça qu'il serait inutile d'opérer le vieil homme. M. Caldicott serait transféré à l'hôpital général de la Grande Caïman très bientôt, où l'on poursuivrait son traitement.

Dans la soirée, Della téléphona. Suzanne lui annonça la nouvelle.

— Mon Dieu ! Est-ce un bien, ou un mal ? Je suis heureuse pour mon parrain, bien entendu, mais vous, ma chère Suzanne, qu'allez-vous faire ? Vic et moi nous nous sommes montrés d'un égoïsme impardonnable, nous vous avons abandonnée là-bas avec tous nos problèmes. Mais si vous saviez comme nous sommes bien ! Ce Gérard North ne vous a pas trop ennuyée ? D'après votre lettre, c'est un véritable dictateur !

Suzanne sourit malgré elle.

— Il m'a prise pour vous, Della, et il a horreur des jeunes filles riches. Au début, il y a eu des heurts, mais nous nous entendons mieux, à présent... De toute façon, il s'est absenté.

— Bien, bien... Vic désire vous parler, Suzanne.

Il prit l'appareil.

— J'apprends qu'oncle Ben doit rentrer. Cela risque de compliquer la situation. Voulez-vous que nous intervenions ?

Surtout pas ! songea-t-elle, affolée. S'ils agissaient maintenant, elle serait obligée de partir. Elle ne reverrait pas Gérard !

— Vous n'allez pas interrompre la tournée, tout de même ?

— Non, bien sûr. Mais si vous pensez...

— Au contraire ! Ne vous inquiétez pas. Je vais écrire à M. Caldicott. Ainsi, il ne subira pas de choc en me trouvant ici à la place de sa nièce. Je vous contacterai immédiatement et nous échafauderons de nouveaux projets en fonction de lui. Cela vous convient-il ?

Della et Vic s'accordèrent pour trouver cette solution satisfaisante. Tous deux remercièrent Suzanne avec effusion. La jeune fille demanda à Vic s'il avait écouté la cassette de Sébastien.

— Je n'en ai pas eu encore le temps. Je m'en occupe tout de suite, il me reste une demi-heure avant le début de la répétition... Ne fondez pas trop d'espoir sur ce garçon, Suzanne. Des auteurs-compositeurs comme lui sont tellement nombreux...

Mais si je peux l'aider… C'est la moindre des choses, après tout ce que vous avez fait pour nous.

Emue, Suzanne raccrocha. Le moment était venu d'écrire à oncle Ben. Il lui fallut de longues heures et trois feuilles déchirées avant d'obtenir un résultat convenable. A minuit, elle fut enfin satisfaite de son œuvre. Elle lui avouait tout le plus clairement possible avec sincérité.

« Mon intention était de vous dire la vérité dès mon arrivée. C'était aussi le souhait de Della. Malheureusement, vous étiez souffrant, et je n'ai pas osé vous infliger une nouvelle émotion à ce moment-là. Aujourd'hui, nous tenons toutes deux à ce que vous sachiez notre histoire. »

Elle lui expliquait ensuite ce qui les avait motivées à agir ainsi, depuis l'épisode dramatique dans le bureau de John Benton. Elle terminait en lui rapportant sa récente conversation téléphonique avec Della et Vic.

« Je n'ai rien dévoilé à M. North, car il m'a prise pour Della Benton dès le début. Je ne le connaissais pas, je ne tenais pas à lui confier le secret de votre nièce. Comme vous pouvez sans doute l'imaginer, la situation s'en est trouvée d'autant plus compliquée. J'espère que vous vous sentez mieux. A votre retour, je vous rendrai visite à l'hôpital. Vous me conseillerez sur ce que je dois faire ensuite. Je promets de vous obéir. »

Après avoir trouvé des timbres sur le bureau de Gérard, elle alla poster l'enveloppe dans la boîte située à l'entrée de la propriété.

Elle revint vers l'appartement, soulagée. Elle venait de se débarrasser d'un poids énorme, pesant sur sa conscience depuis une semaine. Une personne au moins serait au courant de cette mascarade. Elle n'osait pas imaginer la réaction de Gérard North.

La nuit était splendide, romantique à souhait. Suzanne marchait lentement. Cet effort l'avait épuisée et elle maîtrisait à grand-peine son envie de pleurer. La coupable attendait le verdict... et se languissait d'amour pour Gérard !

Elle perçut un léger craquement devant elle, et vit brusquement surgir une silhouette sombre. Son cœur bondit. Cependant, elle reconnut aussitôt Sébastien Lord.

— Bonsoir, Della. Je vous ai vue sortir, déclara-t-il, morose, en lui emboîtant le pas. Je ne vous ai pas rencontrée depuis des siècles !

— Trois jours...

— Trois ans ! grommela-t-il. Ma vie est un enfer ! expliqua-t-il en désignant de la tête la fenêtre éclairée de leur salon. Fanny est d'une humeur détestable, je ne sais pas pourquoi... Gérard est absent, n'est-ce pas ?

— Oui. Un voyage d'affaires urgent... J'ai parlé à Vic au téléphone ce soir. Il a reçu la cassette mais n'a pas encore eu le temps de l'écouter. Il a promis de le faire rapidement et de me rappeler sans tarder pour me donner son avis.

— Formidable ! Vous ne pouvez pas savoir combien je serai heureux d'avoir son avis et...

Ils s'étaient arrêtés devant l'immeuble.

— Sébastien, je vous prie de m'excuser, mais j'ai entendu la sonnerie...

Elle se précipita à l'intérieur. Qui cela pouvait-il être ? Le personnel de l'hôpital ? Oncle Ben aurait-il rechuté ? Quand elle décrocha, elle se figea : c'était Gérard...

— Della ? Vous en mettez du temps à vous réveiller ! J'essaie de vous joindre depuis plus de dix minutes !

Il avait la voix fatiguée et irritée.

— Je... Je suis allée poster une lettre. C... Comment allez-vous, Gérard ? Votre voyage se passe bien ?

Son cœur battait la chamade, ses jambes se dérobaient sous elle. Elle s'écroula dans un fauteuil.

— Non. Je vais d'une réunion à l'autre, c'est épouvantable ! J'ai tenté en vain de vous contacter entre chaque conférence. L'appartement était vide. Où étiez-vous ?

— Je n'ai pas à vous faire un rapport sur mes moindres activités, répliqua-t-elle.

Elle avait voulu prendre un ton digne et posé : elle ne réussit qu'à émettre des sons incohérents.

— Pour l'amour du Ciel ! gronda-t-il. Ne recommençons pas !

Il y eut un long silence. Suzanne se demanda un instant s'il n'avait pas raccroché, exaspéré. Mais il reprit la parole, plus doucement.

— ... Je voulais savoir si vous alliez bien.

— Oui, oui ! le rassura-t-elle, s'efforçant de paraître enjouée. Je m'amuse beaucoup. Mike est adorable, il m'emmène plonger chaque jour. J'ai rencontré des gens fort sympathiques. Hier soir, j'ai été invitée à dîner au *Holiday Inn* et...

— Bien, intervint-il. Très bien. Il est inutile de me donner l'inventaire complet de vos distractions. Je suis heureux de constater que vous êtes en pleine forme.

Lui, en revanche n'avait pas l'air heureux du tout...

— Vous... Vous savez quand vous pourrez rentrer ?

— Vendredi. J'arriverai en fin d'après-midi.

Une joie immense s'empara d'elle : il serait là dans deux jours... enfin, un jour et demi !

— J'ai contacté l'hôpital de Houston chaque matin. D'après eux, oncle Ben sera transféré à George Town très bientôt.

— Oui, je les ai appelés moi aussi. Il sera soulagé de se sentir plus près de chez lui.

Il marqua une pause avant de poursuivre, hési-
tant :

— ... Je vous manque un peu, Della ?

Elle avait le vertige. Sa vue se brouillait, elle ne
distinguait plus les objets autour d'elle.

— Je... Je... Oui, mais je ne suis pas souvent à la
maison.

— Je m'en suis aperçu. Bonsoir, Della. Dormez
bien. Je vous rappellerai si c'est possible.

— Oui, oui. Au revoir, Gérard.

Elle reposa maladroitement le récepteur et fixa
l'appareil sans le voir, un long moment. Puis elle
monta se coucher. Elle mit longtemps à trouver le
sommeil.

Mike s'activait autour des bouteilles d'oxygène
quand elle arriva à la boutique, le lendemain matin.
Il s'arrêta immédiatement en la voyant apparaître et
vint à sa rencontre, le visage illuminé d'un sourire
radieux.

— Mike... Cela ne vous vexera pas, si je ne vous
accompagne pas aujourd'hui ?

— Quelle coïncidence ! Les Ferguson viennent de
se dédire, eux aussi. Ils sont obligés de rentrer
d'urgence. Ils sont venus chercher leur matériel, il y
a une heure environ. Diane était si malheureuse !
Pensez donc, elle n'avait pas pu vous dire adieu !
Elle m'a chargé de vous remettre ceci.

Il lui tendit un bout de papier plié en deux.
Suzanne parcourut rapidement le message.

« Ma chère Della, écrivait l'adolescente avec ap-
plication... Nous devons partir aujourd'hui, c'est
affreux ! J'en veux mortellement aux associés de
mon père qui réclament sa présence de toute
urgence. Cela m'a fait un tel plaisir de vous rencontrer. Vous serez peut-être là quand nous reviendrons, l'an prochain ? Pourriez-vous m'écrire ? Mon

adresse est au bas de la page. Je vous laisse déjà, Maman m'ordonne de me dépêcher. Je vous embrasse. Diane. »

Suzanne rangea la missive dans son sac en souriant. Elle écrirait à Diane. Mais elle ne serait pas là l'année prochaine...

— Savez-vous quand revient Gérard ?

— Oui, demain. Voilà pourquoi je ne peux pas plonger aujourd'hui. J'ai mille choses à faire, quelques courses, mettre l'appartement en ordre...

Mike hocha la tête, songeur.

— C'est un bon garçon. Ces derniers temps, il a eu toutes sortes de problèmes. Il vous a parlé de ses parents ?

— Non. Je... Nous nous connaissons seulement depuis quelques jours.

— Ah, vraiment ? C'est curieux, je n'avais pas eu cette impression...

Il paraissait fort mal à l'aise, tout d'un coup.

— Dites-moi ce qu'il s'est passé.

— Un drame, un drame horrible. Tous deux étaient charmants, nous plongions souvent ensemble. J'étais professionnel et eux amateurs, évidemment, mais ils étaient doués. Ils passaient tous leurs étés à explorer les épaves. Gérard les accompagnait partout. L'an dernier, en Ecosse... Personne n'a su résoudre cette énigme, conclut-il avec un haussement d'épaules.

— Ils se sont tous deux... noyés ?

Suzanne sentit son sang se glacer. Il opina d'un signe de tête mesuré.

— Ils n'étaient plus tout jeunes, mais là n'est pas la solution : ils étaient en excellente forme. Je les avais vus, ici, trois semaines auparavant... Non, ce n'est pas cela...

Malgré le soleil éblouissant, Suzanne trouva la journée sombre quand elle sortit de la boutique. Elle

132

s'arrêta dans un bar du port pour boire un café très fort. Elle se sentait étrangement concernée par ce drame et s'expliquait mieux à présent certaines réactions de Gérard. Elle savait pourquoi il avait tant insisté sur la prudence et lui pardonnait ses changements d'humeur : il avait subi un grand choc, et ne s'en était pas encore complètement remis. Elle comprenait... Elle avait perdu son père... Elle éprouva un élan de pitié envers lui, mais jamais il n'admettrait sa compassion...

Après avoir payé sa consommation, elle partit à la recherche d'un supermarché. Curieusement, elle ressentait un sentiment de bonheur intense... Une phrase de Gérard lui revenait sans cesse à la mémoire : « Je vous manque un peu, Della ? »...

Pour la première fois depuis son arrivée, elle se permit d'espérer.

8

Le chauffeur de taxi sortit les sacs de Suzanne du coffre et empocha son pourboire en souriant.

— Puis-je vous les porter, Miss ?

— Ce n'est pas la peine, je m'en charge

Tous deux se retournèrent vivement pour découvrir un grand jeune homme à la mèche tombante.

— Vic ! s'écria Suzanne, ravie.

Il l'embrassa fraternellement sur le front.

— ... Oh, Vic ! Quelle bonne surprise ! Della est avec vous ?

— Non, répondit-il en saisissant les paquets. Nous avons préféré demeurer prudents.

Suzanne le conduisit au salon, l'invita à s'asseoir et lui proposa un rafraîchissement.

— Que s'est-il passé ? Pourquoi êtes-vous ici ?

— Ne vous affolez pas ainsi, Suzanne ! Tout va bien. Nous partons pour le Mexique demain, après un véritable triomphe à Miami. Et... Nous sommes seuls, ici j'espère ?

— Oui, oui, je vous écoute.

— Nous nous marierons à Mexico le plus vite possible, annonça-t-il triomphalement. Della est folle de sa nouvelle vie de nomade. C'est la plus farfelue de nous tous !

— Oh, Vic, j'en suis si heureuse. Cela justifie

tous nos efforts... A votre santé et à votre bonheur à tous les deux.

— Merci ! Je savais que cela vous réjouirait. J'ai tenu à venir vous remercier avant notre disparition. Nous pensons nous cacher à Mexico... la ville est suffisamment grande pour nous abriter. Nous y resterons en attendant l'officialisation de notre union. Après cela, Dieu merci, nous n'aurons plus recours à de subtiles ruses. Nous rentrerons en Angleterre et nous annoncerons la nouvelle au père de Della. Je suis impatient de voir sa réaction.

— Le spectacle ne sera guère plaisant, si vous voulez mon avis.

— C'est pourtant la seule solution. Tôt ou tard, Della devra lui faire face. Je tiens à être à ses côtés à ce moment-là : je saurai la défendre. Mais vous savez, Suzanne, Della change. Elle acquiert une certaine confiance en elle. Ses progrès sont constants depuis qu'elle a quitté son père... Elle a su s'adapter à notre manière de vivre. Mes collègues l'adorent !

Suzanne fit distraitement tourner le pied de son verre en cristal.

— Puis-je avouer la vérité à M. North, maintenant ? Lui expliquer les raisons de ma présence ici ? J'ai eu quelques difficultés à incarner le rôle de Della. Je ne voyais pourtant aucune autre issue : oncle Ben n'était pas là.

— Vous avez été superbe, Suzanne ! Quant à ce M. North, si j'ai bien compris, il est insupportable, cela n'a pas dû être facile pour vous, j'en conviens. Oui, dites-lui tout, pourquoi pas ? Cela vous permettra de profiter mieux de la fin de votre séjour ici. Le père de Della ne l'apprendra probablement pas assez tôt pour contrecarrer nos projets. Il aura beaucoup de mal pour nous retrouver à Mexico, une ville de huit millions d'habitants, je crois. Huit, ou dix millions ? Je ne sais plus. C'eût été plus délicat à

Miami. Nous avons triomphé et des hordes de photographes nous ont poursuivis. A Mexico, nous serons anonymes. Enfin, ajouta-t-il, les yeux pétillants de malice, avant les deux premiers spectacles. Ensuite, j'espère avoir la couverture de tous les journaux.

L'espace d'un éclair, Suzanne décela sur son visage les traces de la peur. Il avait le trac, comme tout artiste s'apprêtant à affronter un nouveau public. Elle l'en admira d'autant plus.

— Mais ne parlons plus de moi, reprenait-il. Comment se porte l'oncle de Della ? Elle est très anxieuse à son sujet.

Suzanne lui annonça la plus récente nouvelle.

— Il rentrera à George Town d'ici quelques jours. Je lui ai écrit une longue lettre hier soir. Le terrain est donc préparé... Il ne subira pas le choc en me découvrant ici sous l'identité de sa nièce. Voulez-vous que je reste encore un peu ?...

« Répondez oui ! Je vous en supplie ! » pensait-elle, la gorge serrée. « Donnez-moi le temps de fournir des explications à Gérard à ma façon. Ainsi, il m'en voudra moins de l'avoir dupé. »

— Si vous croyez pouvoir tenir le coup... En réalité, nous aurions aimé vous savoir là jusqu'au jour de notre mariage. Nous vous préviendrons immédiatement et vous pourrez rentrer en Angleterre. J'aimerais tant vous inviter ! Della fait des courses cet après-midi. Elle va s'acheter une robe splendide.

Il avait le regard lointain, rêveur. Il aurait parlé inlassablement de Della, si Suzanne n'était intervenue pour lui demander s'il repartait pour Miami le soir même.

Il secoua la tête.

— Impossible d'avoir une réservation avant demain matin. J'ai pris une chambre à l'hôtel, pas très loin d'ici. Ah, oui ! J'allais oublier... Je me demandais si vous pourriez me présenter le garçon qui a enregistré cette cassette. Il est dans les parages ?

— Sébastien Lord ? Il vit dans l'appartement voisin avec sa sœur. Qu'avez-vous pensé de ses œuvres ?

— C'est intéressant. Très intéressant. Bien sûr, il y manque de bonnes orchestrations, l'ensemble est un peu flou, mais ce jeune homme me paraît digne d'intérêt. J'aimerais bavarder avec lui, écouter d'autres chansons si possible. Est-il chez lui ?

Suzanne était réticente à l'idée de frapper à la porte de Fanny Lord. Vic, au contraire, n'avait aucune inhibition de ce genre. Il disparut, puis revint quelques minutes plus tard, suivi d'un Sébastien au sourire de clown triste.

La soirée fut longue. Vic et Sébastien discutaient musique, avec animation. Suzanne leur prépara une montagne de sandwiches, mit plusieurs bouteilles de bière à rafraîchir, puis s'installa discrètement dans un coin du salon. Enfin, incapable de garder plus longtemps les yeux ouverts, elle s'excusa pour aller se coucher... Demain, elle reverrait Gérard. Au moment de sombrer dans un profond sommeil, elle perçut une mélodie romantique à la guitare.

Elle était à peine réveillée le lendemain matin quand Adèle pénétra dans sa chambre, souriante comme à son habitude.

— Bonjour, Miss ! Que dois-je dire au monsieur qui dort sur le canapé, en bas ? J'ai aperçu sa tête de dos mais je n'ai pas osé le secouer.

Suzanne se redressa vivement.

— Un homme ?

Elle s'enveloppa dans un peignoir et suivit la femme de ménage. Qui cela pouvait-il être ? Certainement pas Gérard !

C'était Vic, bien sûr. Il clignait des yeux et s'étirait voluptueusement.

— Juste ciel! s'exclama-t-il en apercevant Suzanne... Je me suis assoupi. Nous avons discuté fort tard. J'ai voulu me servir un dernier verre après le départ de Sébastien. Et quelques instants après, je me suis endormi...

Il consulta sa montre, repoussa sa mèche rebelle d'un geste impatient.

— Grands dieux! Je vais rater mon avion si je ne me dépêche pas! Je vais chercher ma valise à l'hôtel. Ce n'est pas loin, je peux marcher. De là, je prendrai un taxi pour l'aéroport... Et je ne suis pas rasé! Tant pis, ce n'est pas très grave...

Suzanne sortit avec lui sur la terrasse.

— Au revoir, Vic. Embrassez Della de ma part. Je vous souhaite beaucoup de bonheur.

— Merci, Suzanne, à bientôt!

Il déposa un rapide baiser sur sa joue puis s'en fut en courant.

Suzanne le regarda partir, immobile, songeant à ce qu'elle allait faire. Elle s'arrangerait avant tout pour ne pas gâcher le retour de Gérard. Elle ne savait pas à quelle heure il arriverait, mais il avait promis d'être là vendredi en fin d'après-midi, au plus tard. Les liaisons aériennes entre les îles de la mer des Caraïbes étaient compliquées et innombrables : elle ne pouvait même pas se renseigner auprès de l'aéroport pour connaître l'heure d'atterrissage de son courrier, elle ignorait celui qu'il prendrait. Elle ne pouvait qu'attendre.

Attendre... La journée serait interminable! Elle tâcherait de s'occuper pour ne plus y penser. Elle mit son maillot de bain et descendit accomplir une série d'aller et retour dans la piscine, l'œil fixé sur le bosquet de buissons derrière lequel surgirait la voiture de Gérard... Comme s'il allait arriver à dix heures du matin !

Puis elle remonta dans sa chambre se doucher et se laver les cheveux. Adèle lui apporta du café et des petits pains frais pour son déjeuner. Elle but le café, mais elle n'avait aucun appétit.

Le soleil était de plus en plus chaud. Suzanne devait rester prudente : son teint n'avait pas encore la couleur cuivrée rêvée. Elle se tourna vers son armoire pour sélectionner une tenue appropriée... Elle ne mettrait pas son jean et son tee-shirt. Pas aujourd'hui... Suzanne préférait quelque chose de plus féminin. Elle choisit une robe toute simple en coton blanc. Satisfaite de l'image renvoyée par la glace, elle descendit demander quelques conseils à Adèle à propos de son repas. Celle-ci fut enchantée d'une telle marque de confiance.

— Ah... M. North revient ce soir, et vous voulez lui préparer une petite fête, c'est cela ?

Ses yeux noirs pétillaient. Suzanne se sentit rougir jusqu'aux oreilles.

— Il sera fatigué et aura besoin d'un dîner copieux, déclara-t-elle en s'efforçant de paraître indifférente.

Adèle se révéla une aide précieuse : elle débordait d'imagination. Elle proposa un plat composé de riz, de petits pois, d'oignons, de tomates et d'asperges, le tout revenu dans l'huile d'olive et relevé d'épices étranges. Comme entrée, Suzanne servirait les inévitables avocats. Ils seraient suivis d'un énorme homard. Pour le dessert, il y aurait un sorbet à la noix de coco. La femme de ménage contempla son œuvre d'un air satisfait.

— Mon père serait fâché d'apprendre que vous ne dînez pas au restaurant. Mais, de temps en temps, on a besoin d'une fête en tête à tête, n'est-ce pas ?

A onze heures, Adèle s'en fut. Suzanne s'offrit

une seconde tasse de café et réussit à avaler deux biscuits secs.

A onze heures trente, elle avait vérifié trois fois si tout était en ordre dans le réfrigérateur, trouvé une jolie nappe fleurie, poli l'argenterie et cueilli quelques fleurs.

A midi, Sébastien vint lui rendre visite. Son sourire de clown triste avait disparu. Son visage radieux réconforta Suzanne.

— Je ne reste pas ! annonça-t-il d'emblée. Je travaille sur une nouvelle chanson. Je tenais à vous remercier, Della. Vic est un garçon formidable. Mon travail l'intéresse. Il me propose de le rejoindre à Mexico la semaine prochaine : il veut me présenter aux autres membres de son groupe.

Il la saisit par la taille et la fit virevolter autour de lui.

— Arrêtez ! s'écria-t-elle, hors d'haleine.

Il obéit aussitôt, et elle s'écroula dans un fauteuil. Sébastien la dominait de toute sa hauteur. Il battait des mains comme un enfant.

— Je suis libre ! proclama-t-il, enfin libre ! La chance est avec moi. Fanny s'en va cet après-midi. Gérard est remplacé dans son cœur par un magnat du pétrole. Il l'invite à séjourner dans son ranch au Texas.

Suzanne était enchantée de le voir si heureux. Elle le lui dit.

— C'est grâce à vous, répondit-il en se penchant sur elle pour l'embrasser amicalement sur le front.

Suzanne souriait encore après son départ. J'ai le don d'arranger les affaires des autres, songea-t-elle. Tout le monde m'adore... Vic, Della, Sébastien... Et Gérard ? Son cœur se serra. Il fallait attendre encore un peu.

Les heures s'écoulaient lentement. Tout était prêt, elle n'avait plus rien à faire. Elle déambula sans but dans l'appartement, réfléchit à la meilleure manière de lui expliquer sa position. Au moindre bruit de moteur, elle se précipitait à la fenêtre. Elle lut deux longs articles d'une revue géographique mais n'en retint pas un mot. A quinze heures trente, elle était dans un état nerveux indescriptible.

Il arriva enfin. Elle avait perçu le claquement d'une portière. Il pénétra dans la pièce presque aussitôt. Il paraissait harassé mais il était si beau ! Elle l'observa à la dérobée... ce corps d'athlète, ce visage aux traits volontaires, ces yeux gris, perçants, cette chevelure soyeuse... Elle s'avança vers lui.

— B... bonjour, balbutia-t-elle sottement. Vous êtes de retour.

Immobile, il la contemplait.

— ... J'ai préparé un repas... Un déjeuner tardif, si vous voulez, ou même un goûter copieux. Je... J'ai pensé que vous auriez faim après votre voyage.

Il se tourna vers la table bien mise, dont le centre était décoré d'un charmant bouquet. Le cœur de la jeune fille bondit : il souriait, touché.

— Quel accueil chaleureux.

— Tout s'est bien passé ? s'enquit-elle.

Elle parlait sans s'en rendre compte, elle avait l'impression de flotter sur un nuage.

— Relativement, oui. Tobago est un endroit agréable mais je n'ai guère eu le temps de me distraire... Je vous ai rapporté un souvenir, ajouta-t-il en sortant un minuscule paquet de sa poche.

— Oh ! s'écria-t-elle, les joues écarlates, en déchirant maladroitement le papier... Oh, Gérard ! C'est ravissant ! Un collier... Vous n'auriez pas dû, ce bijou a dû vous coûter une fortune !

Il ne lui vint pas à l'idée que la fille de John Benton trouverait ce présent très ordinaire... Elle s'approcha de la glace accrochée au mur et maintint la chaînette d'or et d'argent devant elle.

— Merci, Gérard.

Il la prit de ses mains.

— Laissez-moi l'attacher... Il vous sied à merveille.

Leurs regards se croisèrent dans le miroir. Suzanne suffoquait.

— Voulez-vous vous rafraîchir un peu ? Pendant ce temps, je mettrai la touche finale au repas.

— Avant cela, je veux vous dire... Vous m'avez beaucoup manqué, Della. Vous m'avez terriblement manqué.

Les larmes picotèrent les yeux de la jeune fille. Si seulement il ne l'avait pas appelée Della ! Mais ce n'était pas le moment de lui expliquer sa méprise.

— Vous aussi, vous m'avez manqué, murmura-t-elle d'une voix hésitante.

Il l'enlaça fougueusement, la serrant contre lui de toutes ses forces, comme pour assouvir une soif irrésistible. Suzanne sentait contre sa poitrine les battements de son cœur. Un flot de bonheur la submergea, s'épanouissant comme les pétales des poinsetias géants qui entouraient la fenêtre. Au loin, elle entendit vaguement une sonnerie.

— Allez-vous-en ! marmonna Gérard contre son oreille... Allez-vous-en...

Le bruit strident résonna de nouveau... Puis une voix féminine leur parvint de la baie vitrée.

— Puis-je entrer ? s'enquit Fanny... Je suis désolée d'arriver à un moment inopportun. J'ai sonné. Mais apparemment, vous étiez occupés, vous n'avez pas pu entendre. Je tenais à te dire au revoir, poursuivit-elle avec un sourire figé. Je vais rendre visite à des amis au Texas. Sébastien m'accompagne à l'aéroport. Je ne pense pas revenir, c'est donc un adieu... J'ai été si heureuse de te connaître, Gérard chéri. Nous nous sommes bien amusés ensemble, n'est-ce pas ?

142

Gérard était muet. Fanny ne sembla pas s'en apercevoir. Elle se tourna vers Suzanne qui s'était réfugiée derrière le bureau.

— Au revoir, ma chère Della, et tous mes vœux de bonheur... Avez-vous passé une bonne soirée ? Je vous ai vue embrasser votre petit ami tôt ce matin... Ce n'est pas prudent, ces ébats à la porte de l'appartement à cette heure-là... Ah ! J'entends Sébastien, qui klaxonne avec impatience... Juste ciel ! Je vous abandonne, sinon je vais rater mon avion. Adieu, mes enfants ! Soyez heureux !

Elle leur adressa un dernier signe gracieux de la main avant de disparaître. Un silence pesant se fit. Gérard avait blêmi.

— Alors... Est-ce vrai ? demanda-t-il enfin d'un ton calme mais menaçant.

— Q... Quoi ?

Elle se raidit, elle ne savait plus ce qu'elle disait : l'expression de Gérard la terrorisait. Il s'avança d'un pas. Suzanne se recroquevilla sur elle-même, affolée.

— Vous le savez pertinemment. Vic était-il ici hier soir, a-t-il passé la nuit ici ?

Elle se redressa.

— Oui, Vic est venu mais...

— Dans ce cas, tout est clair, je crois...

— Gérard, je vous en prie, écoutez-moi. Ce n'est pas du tout ce que vous pensez. Je...

— Je ne *pense* pas, les faits sont là. J'aurais dû m'en douter. J'avais raison depuis le début, au sujet de vous et de votre père. Vous avez fait patienter Vic en attendant de m'amadouer complètement. Dès que j'ai eu le dos tourné, il s'est précipité ici. Comment ai-je pu être assez sot pour imaginer...

Deux grosses larmes roulèrent sur les joues de Suzanne.

— Taisez-vous. Taisez-vous, sanglota-t-elle !

Vous vous trompez. Ecoutez-moi, je vous en supplie ! Je vais vous expliquer...

Il s'était détourné. Elle le saisit par le bras, mais il se dégagea d'un mouvement brusque.

— Oh, oui ! Les excuses, vous en avez préparé à l'avance, j'en suis certain. Malheureusement, je n'ai pas envie de les entendre.

Ramassant sa mallette, il sortit. Suzanne s'en fut en courant dans sa chambre et s'effondra sur son lit, tremblante. Au bout d'un long moment, elle cessa de pleurer. Elle s'aspergea le visage d'eau glacée. Il était inutile de se lamenter davantage. Gérard reviendrait nécessairement. Il aurait eu le temps de se reprendre : elle l'obligerait alors à l'écouter.

Elle entendit une portière de voiture claquer. Puis des voix masculines lui parvinrent, celle de Gérard et une autre.

— Della, vous êtes là-haut ?

Suzanne ne bougea pas et demeura muette. Elle n'allait pas descendre maintenant, les yeux gonflés et rouges, surtout s'il était accompagné. Qui cela pouvait-il être ? Sébastien ? Mike ?

— Della ! répéta-t-il, plus fort. Descendez. Votre père est ici.

Le désastre ! La catastrophe ! Suzanne se sentait complètement engourdie, elle n'éprouvait rien... Elle ouvrit la porte, les membres rigides, le regard inexpressif. Elle avait l'impression d'être une marionnette.

John Benton se tenait le dos à la table, ses cheveux collés au front, la bouche pincée. Il tenait à la main un journal.

— Ah ! Te voilà ! Veux-tu m'expliquer ce que signifie ceci...

Il lui montra le quotidien. Suzanne aperçut vaguement une photographie. Deux personnes sortaient d'un bâtiment, main dans la main. La légende était écrite en caractères gras : le chanteur vedette Vic Wild et sa future épouse.

Immobile comme une statue, elle attendit que John Benton soit devant elle. Ses lèvres se tordirent en un rictus horrible.

— Mon Dieu ! s'exclama-t-il. Vous ! Que faites-vous ici ? Où est Della ? Où est ma fille ?

Suzanne était parfaitement maîtresse d'elle-même à présent.

— Je l'ignore. Cependant, à mon avis, vous ne la retrouverez pas facilement.

— Usurpatrice ! Vous avez pris l'identité de Della ! Où est-elle, que lui est-il arrivé ? Que veut dire ceci ?

Ivre de rage, il brandit le journal sous son nez.

— Je vous le répète, je n'en sais rien mais il ne vous servira à rien de la chercher. Elle sera probablement déjà mariée. De cela, je suis certaine.

— Voleuse ! Petite sorcière ! hurla-t-il avant de déverser un torrent d'injures grossières. J'aurais dû m'en douter... J'aurais dû savoir que vous vous vengeriez. Oh ! Je pourrais...

D'un geste menaçant, il leva son bras. Suzanne eut un mouvement de recul mais Gérard intervint à ce moment précis.

— Je vous conseille de vous en aller, monsieur Benton. Cette jeune femme est ici chez moi, sous ma protection.

John Benton le fusilla du regard.

— Poussez-vous !

Gérard l'immobilisa d'un mouvement leste. Un instant, Suzanne se demanda s'ils allaient se battre. Mais Gérard dominait la situation. Malgré ses protestations indignées, John Benton se retrouva bientôt au-dehors.

Le bruit du moteur mourut au loin. Après un temps interminable, Gérard revint en s'essuyant les mains à l'aide d'un mouchoir immaculé. Il examina Suzanne avec indifférence.

— Ainsi, la duperie est encore plus compliquée que je ne le soupçonnais.

Le besoin de se justifier, de narrer toute l'histoire depuis le début était moins pressant. Suzanne était intimidée, hésitante.

— Si vous vouliez m'écouter, je pourrais éclaircir la situation.

— Je n'en doute pas. Mais pourquoi vous croirais-je ?... J'ai une seule question à vous poser et je vous prie de répondre. Si j'ai bien compris, vous n'êtes pas Della Benton ?

— Non.

— C'est tout ce que je voulais savoir.

Elle ravala sa salive.

— Ce serait plus... courtois, plus juste de me laisser parler.

— Plus juste ? Vous m'avez dupé, vous m'avez menti depuis le premier jour. Pourquoi serais-je clément à votre égard aujourd'hui ?

S'il l'aimait... S'il l'aimait vraiment, profondément, il serait humilié, blessé dans son amour-propre mais n'afficherait pas cette glaciale indifférence à son égard !

— Je désire m'en aller le plus vite possible. J'ai un billet de retour pour Londres.

— Excellente idée, acquiesça-t-il en passant devant elle pour prendre le téléphone. Je vais organiser cela tout de suite.

Prostrée, les mains croisées sur ses genoux, Suzanne entendait au loin la voix de Gérard, mais n'écoutait pas la conversation. Après quelques minutes de discussion, il raccrocha.

— Il reste une place sur un vol supplémentaire en direction de Miami. L'avion décolle dans une heure

146

à peine. Je vous suggère de préparer rapidement vos bagages. Je vous emmène à l'aéroport.

— Je peux appeler un taxi.

— Je préfère vous accompagner.

Evidemment... Il voulait être certain de la voir partir...

Dans sa chambre, elle revêtit une tenue de voyage infroissable... Celle qu'elle avait portée en arrivant. Elle jeta quelques objets personnels dans un sac. Elle ferma la porte de l'armoire. Della pourrait récupérer ses jolies robes en temps voulu.

Elle s'aspergea le visage d'eau froide, se brossa les cheveux, souligna ses lèvres d'un rose vif... dernier geste de défi. Puis, hébétée, elle descendit. La jeune fille avait l'impression d'aller vers l'échafaud.

Ils n'échangèrent aucune parole pendant tout le trajet. A l'aérogare, Gérard la conduisit au guichet.

— Vous serez obligée de vous débrouiller à Miami pour obtenir une place dans l'avion de Londres.

— Oui, oui, répondit-elle, la tête basse. Au revoir, Gérard.

Elle ne leva pas les yeux vers lui : elle aurait pleuré. Elle crut l'entendre la saluer d'une voix lointaine. Lorsque enfin, elle osa se redresser, il avait disparu.

9

Ce fut en débarquant à Londres, quelque trente-six heures plus tard, que Suzanne s'aperçut combien Noël était proche. A travers les vitres embrumées de l'autobus, elle apercevait les boutiques illuminées et la foule des passants pressés. Il faisait froid et humide, mais une atmosphère de fête régnait. C'était l'époque de la dinde traditionnelle, du houx, des sapins et du pudding. Des jouets, des rires et des larmes... Et de l'amour.

A la pension de famille, elle découvrit Mme Benson dans la salle commune, occupée à accrocher des guirlandes de papier coloré au plafond. Serinder, l'étudiante indienne, lui tenait l'échelle.

— Bonjour, ma petite ! s'exclama la propriétaire. Avez-vous passé de bonnes vacances ? Vous avez eu du beau temps, au moins !

Suzanne s'arma d'un sourire courageux.

— J'ai fait un voyage extraordinaire, madame Benson.

— Vous n'êtes pas terriblement bronzée.

— Je n'y suis pas restée suffisamment longtemps. J'ai préféré la prudence : je ne voulais pas être brûlée par le soleil.

Elle entendait encore la voix de Gérard, un peu ironique, le premier soir. « Jamais je ne l'oublierai ! » soupira-t-elle intérieurement, désespérée. Mme Benson descendit de son échelle.

— Vous serez donc avec nous pour le réveillon ? Cette année, nous aurons du monde. Toutes les filles invitent leur fiancé. Gillian David nous prêtera une chaîne stéréo. Nous en profiterons aussi pour féliciter Serinder. Elle a réussi tous ses examens. Elle est docteur en médecine !

Suzanne félicita chaleureusement la jeune fille.

— Je vais me marier bientôt, expliqua cette dernière après l'avoir remerciée. Avec mon mari, je retournerai en Inde où nous pourrons aider notre peuple.

Suzanne l'écoutait à peine. Elle pensait à la fête de Noël. Ce serait insupportable…

— Malheureusement, je ne serai pas là, madame Benson. Je me rends dans le Devon du Sud, chez des amis.

— Où, exactement ? Joe et moi avons passé notre lune de miel à Torquay. Ah ! Les jours heureux…

Elle se moucha bruyamment.

— Je ne vais pas si loin. C'est sur la côte, à Breaton, un petit village dont personne n'a jamais entendu parler.

Elle éprouvait le besoin de s'isoler du monde. A Breaton, elle avait vécu les plus belles semaines de sa jeunesse. Elle allait s'y réfugier pendant un moment. Elle attendrait d'avoir complètement oublié Gérard North avant d'affronter de nouveau la vie. Pour l'instant, elle ne se sentait pas de taille à surmonter ses problèmes.

Atteindre ce petit hameau se révéla une véritable expédition. Elle dut prendre un train rapide, un second beaucoup plus lent, puis un autocar. Il ne lui fut pas non plus facile de trouver une chambre d'hôtel. Tous les établissements étaient fermés, à cette époque de l'année.

Cependant, la propriétaire de l'Auberge de l'Epi de Blé se souvint de l'avoir rencontrée plusieurs années auparavant.

— Je peux toujours vous loger, offrit-elle, à contrecœur. Vous réveillonnez avec des amis, dites-vous ?

Suzanne n'avait rien précisé de la sorte, mais elle opina de la tête. Elle voulait à tout prix éviter les festivités. Elle avait apporté un repas froid : cela lui suffirait jusqu'au petit déjeuner du lendemain de Noël...

Sa chambre, minuscule, était située juste au-dessus de la salle du restaurant. Les habitants s'amusèrent presque toute la nuit. Suzanne n'entendit rien : elle s'endormit très vite, épuisée.

Elle se réveilla tard. La jeune fille s'apprêta à sortir. Elle allait effectuer un retour en arrière... se rendre au cottage où elle avait vécu autrefois avec son père. Le ciel était gris, la terre humide.

Suzanne fut très déçue en arrivant devant la propriété. Tout avait changé. Le jardin fleuri était maintenant un potager bien ordonné où s'alignaient des rangées de choux. La vieille barrière en bois sur laquelle elle s'était balancée tant de fois était remplacée par une grille en fer forgé. Pire encore... Des tuiles neuves sur le toit, au lieu du chaume qui avait donné tant de charme à la maisonnette.

Suzanne la contempla, le cœur lourd de chagrin jusqu'à ce qu'un chien agressif et antipathique vienne la chasser. Elle se détourna triste et abattue.

Cela avait été une erreur de venir. La nostalgie était une drogue dangereuse. Tant pis ! Elle reprendrait le train pour Londres dès le lendemain et prendrait un nouveau départ dans la vie, trouverait un nouvel emploi.

150

Quant aux hommes... Elle verrait bien. Gérard North n'était pas unique au monde.

Suzanne reprit lentement le chemin de l'Auberge de l'Epi de Blé. Elle remonterait dans sa chambre grignoter sa pomme et un gâteau. Elle entrerait discrètement par la porte de la cuisine, au cas où les propriétaires en seraient encore au dessert de leur déjeuner de Noël...

Le silence était intolérable. Les chaussures à semelles de crêpe de la jeune fille ne faisaient aucun bruit sur le sentier pierreux. Même le cri des goélands était étouffé par la brume épaisse. Au loin, la sirène du phare hurla. Elle tressaillit.

« Sotte »! s'exclama-t-elle à haute voix en accélérant le pas.

Cette promenade lui était si familière! Elle était presque arrivée quand une silhouette sombre surgit devant elle.

Elle se figea, la gorge sèche, les mains moites. Que faire? Se battre? S'enfuir? Elle demeura immobile, paralysée. L'ombre s'avançait vers elle, immense, menaçante. Elle sentit son sang se glacer dans ses veines et poussa un cri d'horreur en la voyant s'arrêter devant elle.

— Je pensais bien vous trouver par ici, dit Gérard.

Ses jambes se dérobèrent sous elle : elle tomba dans ses bras. Quand elle ouvrit les yeux, elle était allongée sur un banc de bois, dans un abri. Gérard, agenouillé à ses côtés, caressait doucement son front.

— C'est vraiment vous! s'exclama-t-elle avec un rire nerveux. J'avais cru à un fantôme.

— Ne bougez surtout pas, ma chérie. Je vais chercher ma voiture. Accordez-moi quelques minutes.

Il reparut presque aussitôt et la souleva dans ses

bras. A l'intérieur de l'automobile régnait une chaleur bienfaisante. Suzanne se détendit. Un moment plus tard, l'Auberge de l'Epi de Blé apparaissait, toutes fenêtres éclairées.

— Vous sentez-vous assez forte pour monter chercher vos affaires ?

Elle acquiesça. La propriétaire leur ouvrit la porte.

— Ah ! Vous l'avez trouvée !

— Oui. Pouvons-nous entrer ? s'enquit Gérard.

— Excusez-nous. Voulez-vous vous joindre à nous ? Nous avons notre déjeuner de Noël.

— Non, merci, nous avons une longue route à parcourir.

Ensemble, ils se rendirent dans la chambre de Suzanne. Elle ferma son sac de voyage. Gérard s'avança vers elle, posa les mains sur ses épaules et plongea son regard dans le sien.

— J'ai traversé l'Atlantique pour vous demander de me pardonner... Me pardonnez-vous ?

— Oui, Oh, oui, Gérard...

Il la serra très fort dans ses bras et l'embrassa tendrement. Quand il releva enfin la tête, il souriait.

— Cela suffit pour l'instant. Allons-y.

— Je n'ai pas payé ma note.

— Ne vous inquiétez pas, je me suis arrangé avec la propriétaire. Elle a paru satisfaite.

— Vous étiez certain que je vous suivrais ?

— Si vous aviez refusé, je me serais installé sur la marche, dehors, pour vous attendre.

Ils ne se parlèrent plus avant d'atteindre la route principale.

— Dirigeons-nous vers Winchester. De là, nous prendrons l'autoroute. C'est plus rapide.

— Où m'emmenez-vous ?

— A Londres. Un de mes amis me prête son

appartement. Il s'est absenté pour les vacances de Noël... Vous verrez, c'est très confortable.

— Je n'en doute pas, murmura-t-elle poliment.

Elle se préoccupait peu de l'endroit où ils seraient : elle était tout à son bonheur de le retrouver. Mais elle ne l'avouerait pas encore. Gérard avait quelques explications à lui fournir.

— Je préfère être prudent avec cette voiture de louage. Je ne voudrais pas me retrouver en panne... En revenant à la maison ce jour-là, reprit-il après un long silence, je me suis rendu compte que j'avais commis la plus grave erreur de ma vie. J'ignorais laquelle, pourtant. Vous aviez voulu me conter votre version des faits, j'avais refusé catégoriquement de vous écouter. Je devenais fou. Vous étiez partie, je ne connaissais même pas votre prénom ! J'ai fouillé toutes les pièces, à la recherche d'un indice. Rien... Seulement les robes, dans l'armoire. Et puis, le collier que je vous avais rapporté de Tobago. Cela m'a peiné. Je suis descendu, j'ai bu... trop bu. Cela n'a rien arrangé. J'ai appelé Sébastien. Il m'a expliqué qu'un certain Vic Wild était venu le voir... le voir, lui ! Il me restait donc un espoir, mais je n'arrivais plus à réfléchir. Le lendemain matin, j'ai pris le premier avion pour Houston, où j'ai vu oncle Ben. Il m'a montré votre lettre. Alors, j'ai tout compris. Mais je ne savais toujours pas comment vous retrouver.

Il poussa un soupir. Suzanne fixait le pare-brise sans le voir, hypnotisée par le mouvement régulier et monotone des essuie-glaces.

— J'ai dû attendre deux journées interminables, reprit-il. Enfin, Della... la véritable Della Benton, a téléphoné pour annoncer son mariage. Elle m'a donné votre adresse à la pension de famille. J'ai pris une valise, menacé mon agent de voyages et obtenu un billet dans le prochain courrier pour Londres, où je suis arrivé douze heures plus tard. Après avoir tout organisé avec Charles, l'ami qui me prête son logement, j'ai pris mon courage à deux mains, et je me suis rendu chez vous. Vous aviez disparu, la propriétaire m'a parlé du Devon du Sud, mais elle ne se rappelait plus le nom du village... Leaton, Cleaton... Sur une carte, j'ai repéré Seaton et Breaton. La chance était avec moi... J'avais l'intention de frapper à toutes les portes. Je suis tombé immédiatement sur l'Auberge de l'Epi de Blé. Vous connaissez la suite... A présent, je suis à vous, Suzanne. Suzanne... Cela vous convient mieux que Della... Je vous aime depuis le premier jour, je crois. Seulement, j'avais planifié ma vie d'une autre manière, je ne voulais pas changer mes projets. Je me croyais immunisé. Vous avez été la plus forte... Suzanne... voulez-vous m'épouser ?

Les mots s'étranglaient dans sa gorge. Elle était incapable de prononcer une parole. La jeune fille dut vaciller vers lui, cependant, car l'instant d'après, elle se retrouva dans ses bras.

— Oh, mon amour, murmura-t-il en s'emparant de ses lèvres.

La flamme de leur passion s'était rallumée, violente, farouche ! Jamais leur soif d'amour ne serait assouvie ! Un long moment plus tard, Gérard la repoussa doucement.

— Ces voitures ! Les dessinateurs n'ont aucune imagination, ils n'ont aucun esprit pratique !

Il sortit un paquet de cigarettes de sa poche et lui en offrit une. Elle refusa d'un signe négatif.

— Je fume rarement, déclara-t-il. Uniquement pour apaiser ma nervosité... Avez-vous déjeuné avec les propriétaires de l'Auberge ?

Suzanne se rappela ses pommes et son fromage, abandonnés sur la table de chevet dans un sac en papier.

154

— Ma foi, je n'ai rien avalé depuis ce matin !

Gérard sourit.

— Ma foi, moi non plus !

Tous deux rirent à l'unisson. Les premières lumières de Londres surgissaient à l'horizon.

— Nous pourrions nous marier dès la publication des bans, proposa-t-il. Devez-vous annoncer cette nouvelle à votre famille ?

— Je n'ai personne. Mon père est mort il y a deux ans. Je l'adorais, c'est lui qui m'a enseigné les rudiments de la plongée sous-marine. Nous habitions à Breaton et j'ai voulu y retourner. Mais cela ne sert à rien, on ne peut pas revenir en arrière.

— Je saurai vous offrir un avenir heureux, mon amour. J'ai encore trois mois à passer aux Caïmans. Nous y retournerons après notre mariage. Qu'en dites-vous ? Oncle Ben sera transféré à l'hôpital de George Town la semaine prochaine. Il est impatient de faire votre connaissance. Quant à Della et Vic, ils ont promis de nous rendre visite au retour de leur tournée au Mexique... Tant pis pour J. B. !...

Suzanne le laissait parler. Peu lui importait tous ces projets. L'essentiel était de savoir qu'ils ne se quitteraient plus jamais.

Gérard s'arrêta devant l'appartement de Charles et glissa la clé dans la serrure. Il s'interrompit et contempla la jeune fille.

— Le réfrigérateur est plein, nous avons de quoi tenir un siège. D'un autre côté, si vous préférez, nous pouvons dîner au restaurant. Ensuite, je vous raccompagnerai à la pension de famille...

C'était en réalité une question : il lui offrait le choix. Suzanne n'eut pas une seconde d'hésitation : elle posa une main sur la sienne. Ensemble, ils ouvrirent la porte et pénétrèrent dans le hall.

LE VERSEAU

(20 janvier-18 février)

Signe d'Air dominé par Uranus : Logique.

Pierre : Saphir.
Métal : Nickel.
Mot clé : Amitié.
Caractéristique : Altruisme.

Qualités : Sage et prudente d'une part, indépendante et révoltée d'autre part : les contraires s'opposent, le résultat surprend.

Il lui dira : « Je ne désire que votre amour. »

LE VERSEAU

(20 janvier-18 février)

Femme des décisions rapides, elle adore l'originalité. D'ailleurs, si Suzanne accepte de se substituer à Della Benton, c'est bien par goût des situations peu ordinaires, même si elles comportent quelques risques. Mais il faut du courage pour les affronter, et le Verseau n'en manque guère...

Complétez votre collection !

Il vous manque peut-être certains livres de la Collection Harlequin. Voici l'occasion de compléter en une seule fois votre collection.

C'est très simple : il vous suffit de choisir les livres que vous désirez, et de nous indiquer leurs numéros sur le bon ci-joint.

Vous recevrez ensuite vos livres en une seule fois chez vous. J'imagine déjà votre joie en ouvrant le paquet !

Notez bien ceci : si vous nous demandez 10 livres ou plus au prix de 9 F chaque, vous n'aurez pas à payer les frais d'envoi fixés à 10 F pour toute commande inférieure à 10 livres.

--✂

BON DE COMMANDE

à renvoyer *avec votre règlement* à :
EDIMAIL S. A. Cedex 75785 Paris Cedex 16.

Je souhaite recevoir les livres dont je vous indique ci-dessous les numéros :

....

....

Rajouter sur cette ligne un ou deux numéros de remplacement en cas de rupture de stock sur un des numéros commandés.

Je joins mon règlement de ..... × 9 F,
soit ...... F (plus 10 F de frais d'envoi si vous commandez moins de 10 livres).

ÉCRIRE EN MAJUSCULES, MERCI   CH 10

Mlle ☐   Mme ☐   M.☐

Prénom

N° ☐☐☐ Rue

Commune

Code postal :   Bureau distributeur :

Faites votre choix parmi ces titres

COLLECTION HARLEQUIN

Achevé d'imprimer en septembre 1982
sur les presses de l'Imprimerie Bussière
à Saint-Amand (Cher)

— N° d'imprimeur : 684 —
— N° d'éditeur : 343 —
Dépôt légal : octobre 1982.

Imprimé en France